ララ姫《ひめ》は ときどき☆ こねこ 4

作☆みおちづる　絵☆水玉子

新《あたら》しいお友《とも》だちは、マーメイド!?

Gakken

ララ姫《ひめ》の、夢《ゆめ》と魔《ま》法《ほう》の冒《ぼう》険《けん》物《もの》語《がたり》！

ララ姫《ひめ》は、冒《ぼう》険《けん》が大《だい》すき！
ねこになれる魔《ま》法《ほう》を使《つか》って
ドキドキの冒《ぼう》険《けん》へ出《で》かけます。

おもな登《とう》場《じょう》人《じん》物《ぶつ》

主《しゅ》人《じん》公《こう》

ララ姫《ひめ》

アルテシア王《おう》国《こく》の王《おう》女《じょ》。
10歳《さい》。
わくわくすることが
大《だい》すきで、
元《げん》気《き》でおてんば。

これまでのお話《はなし》

10歳《さい》のたん生《じょう》日《び》を
むかえるとき、
ララ姫《ひめ》は、ねこになれる
魔《ま》法《ほう》のペンダントを
もらいます。
ララ姫《ひめ》は、ねこに変《へん》身《しん》して
いろいろな事《じ》件《けん》をかいけつ
しようとします——。

アルテシア王国《おうこく》の人《ひと》たち

※一部《いちぶ》、ねこ

テオ

おいしい料理《りょうり》や
スイーツを作《つく》る、
お城《しろ》の料理人《りょうりにん》。

リオン

ララ姫《ひめ》、
ポリーの
おさななじみ。

ポリー

ララ姫《ひめ》の親友《しんゆう》。
物知《ものし》りで、
流行《りゅうこう》にもくわしい。

茶色《ちゃいろ》のとらねこ

きれいな首《くび》わを
つけた、こねこ。
正体《しょうたい》は……!?

ノーラ

ララ姫《ひめ》のお世話係《せわがかり》。
あわてんぼうで、
おしゃべり。

マリーナ女王《じょおう》

ララ姫《ひめ》の母《はは》。
てきぱきと国《くに》を
おさめる。

ほかの王国《おうこく》の人《ひと》たち

パール姫《ひめ》

伝説《でんせつ》の王国《おうこく》の王女《おうじょ》。
あるできごとで、
ララ姫《ひめ》と出会《であ》い——!?

オリバー王子《おうじ》

東《ひがし》の国《くに》の12歳《さい》の王子《おうじ》。
レナ姫《ひめ》と、なかが
よかったけれど——!?

レナ姫《ひめ》

明《あか》るくて、やさしい、
南《みなみ》の国《くに》の王女《おうじょ》。12歳《さい》。
ララ姫《ひめ》となかよし。

お城《しろ》のテラスから
見《み》えるけしきも、
とっても、
きれいなの。
あら……!?
にじの下《した》に、キラキラ
光《ひか》るものが――!?

こちらが、フローラ王国《おうこく》の海《うみ》！

舞踏会《ぶとうかい》
ご招待状《しょうたいじょう》

★月《がつ》★日《にち》 ★時《じ》〜

フローラ王国《おうこく》 フローラ城《じょう》・大広間《おおひろま》

Dear Princess LaLa

ララ姫《ひめ》へ

舞踏会《ぶとうかい》、ぜひ、お父《とう》さまや

みなさまといっしょにいらしてね。

お友《とも》だちも、ごいっしょに!

お会《あ》いできるのを楽《たの》しみにしているわ。

南《みなみ》の国《くに》 フローラ王国《おうこく》 レナ姫《ひめ》より

From Princess Rena

◀ ララ姫《ひめ》たちは、フローラ王国《おうこく》へ行《い》くことに!

こちらを開《ひら》いてね。

princess Lala

もくじ

1

旅《たび》に出《で》る日《ひ》

エメラルド色《いろ》の湖面《こめん》が、朝《あさ》の太《たい》陽《よう》の光《ひかり》で、キラキラと光《ひか》っています。

お城《しろ》の、高《たか》いへいの上《うえ》では、一ぴきのこねこが、湖《みずうみ》のほうを見《み》つめていました。その首《くび》もとには、きれいな緑色《みどりいろ》のねこめ石《いし》の首《くび》わがついています。

ミャ！　とうれしそうに鳴《な》くと、こねこは、走《はし》りだしました。

そして、お城《しろ》のテラスの手《て》すりからトンととびおり、入《はい》っていったのは、この国《くに》——アルテシア王国《おうこく》の王女《おうじょ》、ララ姫《ひめ》の部屋《へや》でした。

一人《ひとり》の少女《しょうじょ》が、こねこに、かけよりました。

「ララ姫《ひめ》、お帰《かえ》り！　待《ま》っていたのよ！」

そう、このこねこは、じつはララ姫《ひめ》なのです。走《はし》りよった少《しょう》女《じょ》は、ララ姫《ひめ》の親友《しんゆう》、ポリーでした。

ひみつの話《はなし》なのですが——。ララ姫《ひめ》は、ねこに変身《へんしん》することができるのです。

ララ姫《ひめ》は、十歳《さい》のおたん生日《じょうび》をむかえるときに、ふしぎな白《しろ》ねこから、青《あお》いねこめ石《いし》のペンダントをもらいました。その石《いし》には、ねこに変身《へんしん》できる力《ちから》がこめられていたのです――。

「ララ姫《ひめ》、すぐに、魔法《まほう》をとくわね。出発時間《しゅっぱつじかん》が早《はや》くなったみたい。ノーラは、ララ姫《ひめ》がいないって大《おお》さわぎよ」

ポリーは早口《はやくち》でいうと、ララ姫《ひめ》の首《くび》わのねこめ石《いし》を、そっとなでました。とくべつな友《とも》だちが石《いし》をなでると、魔法《まほう》がとけて、ねこから人間《にんげん》に、もどるのです。

石《いし》から、白《しろ》い光《ひかり》があふれてできます。

ねこになっているララ姫《ひめ》も、ポリーも、まぶしくて思《おも》わず目《め》をつぶりました。

やがて光《ひかり》が消《き》えたとき、そこにいたのは、人《ひと》のすがたにもどった、ララ姫《ひめ》でした。先《さき》ほどまで緑色《みどりいろ》だった首《くび》もとの石《いし》は、青色《あおいろ》になっています。

ララ姫《ひめ》は、にっこりわらいました。

「ありがとう、ポリー。湖《みずうみ》の近《ちか》くまでお散歩《さんぽ》できて、楽《たの》しかったわ」

すると、外《そと》で、さわがしい足音《あしおと》がして、ドアがノックされました。

「ポリー！　姫《ひめ》さまが、どこにもいないわ」

そういいながら、部屋《へや》に入《はい》ってきたのは、ララ姫《ひめ》のお世話係《せわがかり》のノーラです。

ノーラは、目《め》を丸《まる》くしました。

さがしていたララ姫《ひめ》が、ポリーの横《よこ》に立《た》っていたからです。

ノーラは、すっかり安心《あんしん》したように、ふうっと息《いき》をはきました。

「ノーラ、あ、あのね。……旅《たび》のあいだ、見《み》られなくなるから、湖《みずうみ》の景色《けしき》を見《み》に行《い》ってたの」

ねこになって、ということはふせて、ララ姫《ひめ》は話《はな》しました。

「まあ、そうでしたか！　ああ、わたくしも庭《にわ》の花《はな》をしばらく見《み》られなくなるなんて。いえ、ゼッペンさんにお会《あ》いできないのが、さみしいのではないですよ」

ノーラは、そういったあとに、あわてて首《くび》をふりました。耳《みみ》が少《すこ》し赤《あか》くなっています。

「わたくしったら、何《なに》をいっているのかしら」

ノーラは、庭師《にわし》のゼッペンさんのことがすきなのです。

「さあ、もう、出発《しゅっぱつ》の時間《じかん》ですよ。馬車《ばしゃ》も用意《ようい》できています。ああ、そうでした、わたくしも自分《じぶん》の持《も》ち物《もの》を……」

そういって、ノーラはばたばたと出《で》ていきました。

「ノーラ、今日《きょう》は、とくに早口《はやくち》だし、楽《たの》しそうね」

ポリーがいうと、ララ姫《ひめ》は、大《おお》きくうなずきました。

「だって、一年《ねん》ぶりの南《みなみ》の国《くに》ですもの！　わたしも楽《たの》しみでドキドキしているわ。では、わたしたちも、行《い》きましょ！」

ララ姫《ひめ》とポリーは、顔《かお》を見合《みあ》わせてにこっとすると、部屋《へや》を出《で》ました。

今日《きょう》からララ姫《ひめ》たちは、南《みなみ》にあるフローラ王国《おうこく》に行《い》くのです。

フローラ王国《おうこく》の姫《ひめ》から、舞踏会《ぶとうかい》に招待《しょうたい》されたのでした。

舞踏会《ぶとうかい》は、いろいろな国《くに》の王《おう》や女王《じょおう》が集《あつ》まる会議《かいぎ》のあとに、開《ひら》かれます。会議《かいぎ》には、アルテシア王国《おうこく》からは、ララ姫《ひめ》の父《ちち》、トラン王《おう》がさんかするのでした。

お城《しろ》の前《まえ》には、トラン王《おう》や、いっしょに行《い》く大臣《だいじん》などが乗《の》っている馬車《ばしゃ》が数台《すうだい》ならんでいます。

馬車《ばしゃ》のまわりには、騎士《きし》や騎士見習《きしみなら》いたちが、二十人《にん》ほどい

ました。その中《なか》には、ララ姫《ひめ》とポリーのおさななじみ、リオンの顔《かお》もありました。馬《うま》にうまく乗《の》れるようになったリオンは、今回《こんかい》、いっしょに旅《たび》に行《い》くことになったのです。

ララ姫《ひめ》は、見送《みおく》りに出《で》ていた母《はは》のマリーナ女王《じょおう》のそばへ、かけよりました。

「お母《かあ》さま、行《い》ってきます！」

「ええ、気《き》をつけてね」

マリーナ女王《じょおう》が、やさしく、ほほえみました。

ララ姫《ひめ》とポリーは、同《おな》じ馬車《ばしゃ》に乗《の》りこみました。

やがてノーラが、あわてて走《はし》ってきて、ララ姫《ひめ》たちのいる馬《ば》車《しゃ》に乗《の》りこむと、いよいよ馬車《ばしゃ》が走《はし》りだしました。

走《はし》る馬車《ばしゃ》や騎士《きし》たちのようすを、城《しろ》のへいの上《うえ》から、黒《くろ》ねこが見《み》つめています。黒《くろ》ねこは、馬車《ばしゃ》がすっかり遠《とお》くなるまで、しっぽをゆらゆらさせながら見送《みおく》っていました。

2

南《みなみ》の
フローラ王国《おうこく》へ！

オレンジ色《いろ》の屋根《やね》がつらなる、にぎやかなミウイの町《まち》を、馬車《ばしゃ》は走《はし》りぬけていきます。
ララ姫《ひめ》は、ぷうっと、小《ちい》さくほおをふくらませました。
「クロエがいっしょに行《い》けないのは、ほんとうにざんねんだわ」
「そうね。しかたないわ。アクセサリーのコンテストで、いそがしい時期《じき》だもの。ほら、クロエにもらった耳《みみ》かざり、さっそく、つけてきちゃった！」

　ポリーの耳《みみ》もとで、小《ちい》さなリボンとガラスビーズがゆれています。

　少《すこ》し前《まえ》に、クロエは、「舞踏会《ぶとうかい》につけていってって」と、ララ姫《ひめ》たちに耳《みみ》かざりをプレゼントしてくれました。

　クロエが、二人《ふたり》のそれぞれのドレスに合《あ》うように、作《つく》ってくれたのです！

　ララ姫《ひめ》のドレスには、青《あお》いサテンのリボンとオーロラのビーズ、ポリーのドレスには、ピンク色《いろ》のビロードのリ

ボンと黄色《きいろ》のビーズ。どちらも、とびきりかわいいのでした。

クロエは、お城《しろ》でも話題《わだい》のアクセサリーのお店《みせ》、リラの店《みせ》の店長《てんちょう》の一人《ひとり》むすめです。店長《てんちょう》のリラも、すばらしいデザイナーなのですが、クロエも、すてきなセンスの持《も》ち主《ぬし》なのです。

「あら、わたくしも、クロエに作《つく》っていただきたいわ」

おしゃれが大《だい》すきなノーラも、きょうみしんしんといったようすで、ポリーの耳《みみ》もとをのぞきこみました。

町《まち》をぬけ、おかを走《はし》り、川《かわ》をこえ——馬車《ばしゃ》は、ひたすら進《すす》みます。

羊《ひつじ》たちにかこまれながら、羊飼《ひつじか》いが、手《て》をふってくれたり、

川《かわ》ぞいの道《みち》を、せせらぎを聞《き》きながら進《すす》んだり――。やがて、馬《ば》車《しゃ》が止《と》まり、少《すこ》し休《やす》むことになりました。

今回《こんかい》の旅《たび》に同行《どうこう》しているお城《しろ》の料理人《りょうりにん》のテオが、けさやいたというクッキーと、ジュース、ハーブティーなどを、みんなに配《くば》ります。

テオが、ララ姫《ひめ》たちのほうへ、やってきました。

「おじょうさま方《がた》、お味《あじ》はいかがですか」

「こうばしくて、おいしいわ。テオも、いっしょに休《やす》みましょう」

ララ姫《ひめ》がそういうと、テオは、「それでは」と、おじぎをして、すわりました。

テオは、ララ姫《ひめ》が小《ちい》さなころから、お城《しろ》で料理人《りょうりにん》をして

います。たくさんの国《くに》を回《まわ》って修行《しゅぎょう》したそうで、とびきりおいしい料理《りょうり》やスイーツを作《つく》るのでした。

ララ姫《ひめ》は、前《まえ》に、魔女《まじょ》のソプラノたちが事件《じけん》を起《お》こしたとき、テオの行動《こうどう》をふしぎに思《おも》って、母《はは》のマリーナ女王《じょおう》に話《はな》したことがありました。

女王《じょおう》は、ララ姫《ひめ》の手《て》をやさしくにぎりながら、こういったのでした。

「テオは、料理《りょうり》の修業《しゅぎょう》で、ある国《くに》に行《い》ったとき、魔女《まじょ》のソプラノとアルトに、会《あ》ったことがあるの。二人《ふたり》の親《しん》せきが、魔女《まじょ》の料理人《りょうりにん》だったよう

よ。テオは、二人《ふたり》のことを知《し》っているから、事《じ》件《けん》をふせごうとしてくれている。わたくしも、王《おう》も、テオのことを、とてもしんらいしているの。だいじょうぶよ。しんじて、だいじょうぶ」

女王《じょおう》の言葉《ことば》に、ララ姫《ひめ》は、どんなに安心《あんしん》したことでしょうか。

すみきった青空《あおぞら》を、大《おお》きなカラスがとんでいきます。

「ソプラノたちは、元気《げんき》にしているかしら」

ララ姫《ひめ》がつぶやくと、テオは、「ええ、きっと」といって、にっこりしました。

アルテシア王国《おうこく》の一行《いっこう》は、ふたたび、南《みなみ》の国《くに》へと向《む》かいはじめました。

高《たか》く上《のぼ》っていた太陽《たいよう》が、ゆっくりと西《にし》にかたむきました。空《そら》は真《ま》っ赤《か》な夕焼《ゆうや》けにそまったかと思《おも》うと、ぽつり、ぽつりと星《ほし》がかがやきはじめ――空一面《そらいちめん》、満天《まんてん》の星《ほし》にうめつくされました。

その星空《ほしぞら》の下《した》で、馬車《ばしゃ》は、ようやく、フローラ王国《おうこく》のお城《しろ》に着《つ》いたのです。

ところどころで、たいまつがパチパチともえ、お城《しろ》を明《あか》るくてらしだしています。

「うれしい！　着《つ》いたわ！」

ララ姫《ひめ》は声《こえ》をはずませ、ポリーといっしょに、馬車《ばしゃ》からおりました。

まわりには、たくさんの馬《うま》や馬車《ばしゃ》が止《と》まり、いろいろな国《くに》の人《ひと》たちが、たがいにあいさつをして、城《しろ》の中《なか》に入《はい》っていきます。

アルテシア王国《おうこく》の一行《いっこう》の、列《れつ》の後《うし》ろにいたテオは、ふと立《た》ちどまると、海《うみ》のほうを見《み》つめました。

海《うみ》は月《つき》にてらされ、水面《すいめん》がかがやいています。

「もしかしたら……いや、気《き》のせいかな」

テオは首《くび》をかしげながら、お城《しろ》に入《はい》っていきました。

3

レナ姫《ひめ》とオリバー王子《おうじ》

お城《しろ》のホールでは、王《おう》や女王《じょおう》、大臣《だいじん》たちが、あいさつをしていました。

そのあいだに、子《こ》どもたちは、それぞれ、部屋《へや》に案内《あんない》されていきます。

ララ姫《ひめ》は、つま先立《さきだ》ちになって、あたりを見回《みまわ》しました。

「レナ姫《ひめ》は、どこかにいるかしら？」

すると、

「ララ姫《ひめ》！　待《ま》っていたわ！」

と、元気《げんき》な声《こえ》が聞《き》こえ、よく日《ひ》にやけた少女《しょうじょ》がドレスのすそをひるがえしながら、かけよってきました。

フローラ王国《おうこく》のレナ姫《ひめ》です。

ララ姫《ひめ》とレナ姫《ひめ》は、手《て》を取《と》りあうと、うれしさにとびはねました。

「レナ姫《ひめ》！　ご招待《しょうたい》、ありがとう！」

「ララ姫《ひめ》、元気《げんき》そうね！　ポリーも、来《き》てくれたのね。うれしいわ」

レナ姫《ひめ》がほほえみ、ポリーは、

「おひさしぶりです！」

と、きれいにおじぎをしました。

そのとき、横《よこ》から、ふわふわとしたまき毛《げ》の少年《しょうねん》が、あらわれました。

「こんばんは、おひさしぶり」

少年《しょうねん》はそういって、深《ふか》くおじぎをしました。

東《ひがし》の国《くに》の、オリバー王子《おうじ》です。

ララ姫《ひめ》は、レナ姫《ひめ》やオリバー王子《おうじ》に会《あ》うのは、一年《ねん》ぶりです。

目《め》の前《まえ》の王子《おうじ》はにこやかに、ほほえんでいましたが、レナ姫《ひめ》のほうを見《み》ると、はっとしたような顔《かお》になりました。

(どうしたのかしら?)

ララ姫《ひめ》は、少《すこ》しふしぎに思《おも》いました。

レナ姫《ひめ》と、オリバー王子《おうじ》は、とてもなかがいいはずでした。

(もしかしたら、おたがいに、すきな気持《きも》ちがあるのかな、なんて思《おも》っていたのだけれど……）

ララ姫《ひめ》が、そんなことを考《かんが》えていると、レナ姫《ひめ》が、口《くち》を開《ひら》きました。

「あのね、オリバー王子《おうじ》、お話《はな》ししたいことがあるの。あしたの朝食《ちょうしょく》のあと、いかがかしら」

「うん、いいよ」

心《こころ》なしか、王子《おうじ》の声《こえ》は元気《げんき》がないような気《き》がします。

後《うし》ろから、

「オリバー王子《おうじ》、お部屋《へや》へご案内《あんない》します」

と、声《こえ》がかかりました。

ララ姫《ひめ》やポリーのもとにも、部屋《へや》へ案内《あんない》する係《かかり》の人《ひと》がやってきました。

「おやすみなさい」

と、口《くち》ぐちにいって、それぞれ部屋《へや》へと向《む》かいます。

ララ姫《ひめ》たちが案内《あんない》されたのは、海《うみ》が見《み》える、大《おお》きなテラスがある部屋《へや》でした。

ララ姫《ひめ》とポリーは、テラスに走《はし》りでました。

波《なみ》の音《おと》も聞《き》こえます。

ララ姫《ひめ》たちをかんげいするかのように、二人《ふたり》のすがたを、月《つき》が明《あか》るくてらしていました。

4

海《うみ》のふしぎな生《い》き物《もの》

明《あ》け方《がた》、ララ姫《ひめ》は、ふと目《め》をさましました。

聞《き》こえるのは、波《なみ》の音《おと》と、風《かぜ》にゆれる葉《は》の音《おと》だけ。

お城《しろ》は、まだ、ねしずまっているようです。

まどの外《そと》を見《み》ると、これから朝《あさ》日《ひ》が上《のぼ》るのか、空《そら》の下《した》のほうが明《あか》るいピンクオレンジ色《いろ》になっています。

(南《みなみ》の国《くに》の景色《けしき》は、最高《さいこう》なのよね！　少《すこ》し、お散歩《さんぽ》してみようかな)

ララ姫《ひめ》は、ポリーに、短《みじか》い、おき手紙《てがみ》を書《か》きました。

ポリー、朝日《あさひ》を見《み》に行《い》ってくるわ。

これで、ポリーだけには、ねこになっていると通《つう》じるはずです。

それから、ペンダントの石《いし》をなでました。

石《いし》から、ピカッと光《ひかり》があふれでます。

まぶしさに、ララ姫《ひめ》がまぶたをふせ、やがて、目《め》を開《あ》けると——。手足《てあし》にしっぽ、茶色《ちゃいろ》のとらねこになっていました。

（さあ、ねこになって冒険《ぼうけん》よ！）

ララ姫《ひめ》は、テラスから外《そと》に走《はし》りでました。

中庭《なかにわ》を通《とお》り、海《うみ》へとつづく階《かい》だんに向《む》かいます。

そこにいた見回《みまわ》り役《やく》のお城《しろ》の人《ひと》と目《め》が合《あ》い、ララ姫《ひめ》はドキッとしました。

でも、お城《しろ》の人《ひと》は、まったく、気《き》にとめていないようです。

（ふう、よかったわ）

ねこになっているララ姫《ひめ》は、トントンと、海《うみ》へつづく階《かい》だん

の手《て》すりの
上《うえ》を歩《ある》いて
いきました。
海風《うみかぜ》が
心地《ここち》よく、
ふいています。

ララ姫《ひめ》が、真《ま》っ白《しろ》な砂浜《すなはま》に下《お》りたち、波打《なみう》ちぎわへと歩《ある》いていくと――。

「**キュルル**」

どこからか、かすかに、鳴《な》き声《ごえ》のようなものが聞《き》こえました。

(何《なに》かしら?)

どうやら、近《ちか》くの岩場《いわば》から聞《き》こえてくるようです。

かけよると、岩場《いわば》に海水《かいすい》がたまっていて、そこにティアラより小《ちい》さな生《い》き物《もの》がいます。すがたは、イルカに、よ

くにています。

「**キュルルル**」

生《い》き物《もの》は、弱《よわ》よわしく鳴《な》くと、じっとララ姫《ひめ》の目《め》を見《み》つめました。

『ミャミャ！』（海《うみ》にもどりたいのね。ちょっとだけ、待《ま》っていてね！）

ララ姫《ひめ》は、大急《おおいそ》ぎで、お城《しろ》のポリーのいる部屋《へや》へと走《はし》りました。

「あら、おはよう、ララ姫《ひめ》。ねこになっていたのね」

ポリーは、もう起《お》きていました。

『ミャミャミャ！』（急《いそ》いで、いっしょに来《き》てほしいの！）

人《ひと》にもどる時間《じかん》もおしくて、ララ姫《ひめ》は、うったえるように鳴《な》き、ふりかえりながら外《そと》へと歩《ある》きだしました。

「ついてきてほしいの？　わかったわ、行《い》きましょう！」

全速力《ぜんそくりょく》でララ姫《ひめ》は海《うみ》へ走《はし》り、ポリーはそのあとを追《お》います。

ポリーのようすを見《み》たお城《しろ》の人《ひと》は、首《くび》をかしげましたが、元《げん》気《き》な女《おんな》の子《こ》だと思《おも》ったのか、くすりとわらっただけでした。

ララ姫《ひめ》たちは、先《さき》ほどの岩場《いわば》に着《つ》きました。

「小《ちい》さなイルカさん？　海《うみ》にもどれなくなったのね」

ポリーは、生《い》き物《もの》をやさしくすくいあげると、海《うみ》へと放《はな》しました。

生《い》き物《もの》は、

「**キュル**」

と元気《げんき》に鳴《な》くと、小《ちい》さくジャンプをしながら、沖《おき》へと泳《およ》いでいきます。

（よかった！　それにしても、はじめて見《み》る生《い》き物《もの》だったわ）

ララ姫《ひめ》は、そう思《おも》いながら見送《みおく》っていると、ポリーが、ほっと息《いき》をつきました。

「よかったわね。それに、かわいい生《い》き物《もの》だった。なんていう生《い》き物《もの》かしら……。それはそうと、みんな、そろそろ起《お》きるころよ。ララ姫《ひめ》、急《いそ》いで、部屋《へや》にもどりましょう！」

一人《ひとり》と一ぴきは、お城《しろ》へとかけだしました。

後《うし》ろを、キラキラと光《ひか》りながら、小《ちい》さなものがとんでいきます。

そのようすを、あっけにとられながら見《み》ていた少年《しょうねん》がいました。散歩《さんぽ》に出《で》ていた、騎士見習《きしみなら》いのリオンでした。

(ポリー、朝《あさ》から、あんなに走《はし》って、どうしたんだろう? 茶《ちゃ》色《いろ》いねこが見《み》えたけど、アルテシア王国《おうこく》で、何度《なんど》も会《あ》ったねこも茶色《ちゃいろ》かったな。それに、後《うし》ろに何《なに》か光《ひか》って見《み》えたのは、気《き》のせいかな)

リオンにとっては、ふしぎなことばかりです。

一方《いっぽう》、ララ姫《ひめ》とポリーは、後《うし》ろをとぶ小《ちい》さなものにも、リオンにも、まったく気《き》づいていませんでした。

ポリーが首《くび》わの石《いし》をなでて、ララ姫《ひめ》は人間《にんげん》にもどりました。

それから二人《ふたり》は、花《はな》がさきみだれる中庭《なかにわ》で朝食《ちょうしょく》をいただきました。

こうばしいパン、いろいろなフルーツ。

フローラ王国《おうこく》のおいしいごはんを楽《たの》しんでいると、レナ姫《ひめ》がやってきました。

「ララ姫《ひめ》、ポリー、おはよう。ごいっしょしていいかしら」

そういって、ほほえむレナ姫《ひめ》に、ララ姫《ひめ》は大《おお》きくうなずきました。

「レナ姫《ひめ》、もちろんよ！」

おかしとジュースをいただきながら、ララ姫《ひめ》たちがゆっくりすごしていると、オリバー王子《おうじ》もやってきました。

「おはよう」

そういったオリバー王子《おうじ》の顔《かお》は、少《すこ》し、こわばっているように見《み》えます。

「レナ姫《ひめ》。このあと、ぼくは、だいじょうぶだよ」

「あの、オリバー王子《おうじ》、ごめんなさい。急《きゅう》に、舞踏会《ぶとうかい》のダンスの練習《れんしゅう》をすることになってしまったの」

レナ姫《ひめ》は、すまなそうに、いいました。

「あの、午後《ごご》はどうかしら」

オリバー王子《おうじ》は、

「ごめんね、馬《うま》で出《で》かけることになっているんだ。だから、またでいいかな」
というと、くるっとふりかえり、去《さ》っていきます。
（オリバー王子《おうじ》、なんだかなきそうな顔《かお》にも見《み》えたわ。いったい、どうしたのかしら）
ララ姫《ひめ》は、少《すこ》し心配《しんぱい》になり、横《よこ》にいるレナ姫《ひめ》を見《み》ました。
レナ姫《ひめ》は、さみしそうな顔《かお》で、にこっとララ姫《ひめ》にわらいかけたのでした。
ララ姫《ひめ》たちが部屋《へや》にもどると同時《どうじ》に、ドアがノックされました。

「姫《ひめ》さま、申《もう》しわけありません！」

あわてたようすで、部屋《へや》に入《はい》ってきたのは、ノーラです。

「姫《ひめ》さまの舞踏会用《ぶとうかいよう》のドレスが、どこにもないのです！　こちらに着《つ》くまで、荷物《にもつ》をほどいていませんから、お城《しろ》のいしょう部屋《べや》にわすれてしまったのかしら。ああ、どうしましょう」

思《おも》ってもいなかったことで、ララ姫《ひめ》は、目《め》をぱちくりとしました。

ノーラが、早口《はやくち》でつづけます。

「まずは、アルテシア王国《おうこく》に、ハトをとばして、手紙《てがみ》をとどけます。ドレスがお城《しろ》にあるといいのですけれど――。なかったら、どうしましょう」

ポリーが、口《くち》を開《ひら》きました。

「そうね。お城《しろ》になかったときのことも、考《かんが》えておいたほうがいいわよね。今《いま》、ララ姫《ひめ》の手《て》もとにあるドレスで、舞踏会《ぶとうかい》にも着《き》られそうなものは、あるの？」

ポリーがたずねます。

「パジャマドレスもけっこうお気《き》に入《い》りだから、リボンをつけたらどうかしら？」

ララ姫《ひめ》がそういうと、ノーラとポリーが、おどろいた顔《かお》をしました。

「姫《ひめ》さま、ふざけている場合《ばあい》ではないのです！」

「ええっと、本気《ほんき》だったのだけれど――。そうね、わたし、レナ姫《ひめ》にも相談《そうだん》してみるわ」

ララ姫《ひめ》が、いいました。

そのとき、部屋《へや》から外《そと》へ、ふわりと光《ひかり》が出《で》ていきました。ララ姫《ひめ》もだれも、そのことには気《き》づいていません。

光《ひかり》は強《つよ》くかがやきだし、とつぜん、パッと消《き》えたのです。

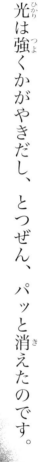

5

宝《たから》物《もの》のかみかざり

昼下《ひるさ》がり、ララ姫《ひめ》は、レナ姫《ひめ》の部屋《へや》をたずねました。

海《うみ》からの風《かぜ》が、心地《ここち》よく流《なが》れこんできます。

「レナ姫《ひめ》、おねがいがあるの」

ララ姫《ひめ》は、ドレスのことをレナ姫《ひめ》に話《はな》しました。

レナ姫《ひめ》は、にっこりして、いいました。

「わたしのドレスでよければ、も

ちろん、おかしするわ。ララ姫《ひめ》に、にあいそうなドレス……いろいろ、あるわよ！　サイズ直《なお》しも、すぐにできるはず。ためしに、今《いま》、見《み》てみましょうよ」

「ありがとう、レナ姫《ひめ》！」

二人《ふたり》はさっそく、いしょう部屋《べや》へ向《む》かいました。

レナ姫《ひめ》のいしょう部屋《べや》は、南《みなみ》の国《くに》の景色《けしき》にぴったりの、カラフルなドレスでいっぱいでした。

そでが貝《かい》がらのようにふくらんでいて、太陽《たいよう》のきらめきのようにかがやくドレス、海《うみ》のような、青《あお》のグラデーションのドレス、満天《まんてん》の星空《ほしぞら》のような、ネイビーの大人《おとな》っぽいドレス。

「ララ姫《ひめ》には、青《あお》いドレスがにあうかしら」

「レナ姫《ひめ》、こちらもかわいいわ！」

二人《ふたり》は、かがみの前《まえ》で、次《つぎ》つぎにドレスを合《あ》わせてみます。

ひとしきり楽《たの》しんだあとに、レナ姫《ひめ》は、ふっと、息《いき》をつきました。

「わたし、ララ姫《ひめ》に話《はな》したいことがあるの」

そういったレナ姫《ひめ》の目《め》から、すうっと、なみだが落《お》ちました。

レナ姫《ひめ》の話《はなし》は、こういったものでした。

レナ姫《ひめ》のおたん生日《じょうび》に、オリバー王《おう》子《じ》が、気持《きも》ちのこもった手紙《てがみ》とかみか

ざりをおくってくれた。レナ姫《ひめ》は、すごくうれしくて、今度会《こんどあ》うときは、そのかみかざりをつけると、すぐに返事《へんじ》を書《か》いた。

それから、かみかざりを毎日《まいにち》つけていた。ただ、ある日《ひ》、今《いま》は取《と》りに行《い》けない所《ところ》に、落《お》としてしまった――。

「レナ姫《ひめ》。そうだったのね……。オリバー王子《おうじ》に正直《しょうじき》に話《はな》してみたら、わかってくれるんじゃないかしら」

「ええ、そう思《おも》ったの。でも、わたし、今日《きょう》の朝《あさ》、話《はな》すタイミングを、自分《じぶん》でのがしてしまったわ」

ララ姫《ひめ》は、朝《あさ》のオリバー王子《おうじ》の顔《かお》を思《おも》いだし、はっとしました。

オリバー王子《おうじ》は、レナ姫《ひめ》がかみかざりをつけていない理由《りゆう》も知《し》りません。ただ、悲《かな》しい思《おも》いでいるのかもしれません。

「かみかざりを落《お》とした場所《ばしょ》は、ララ姫《ひめ》と何度《なんど》か、いっしょに行《い》ったことがある所《ところ》なの。ここから行《い》けた、ひみつの通路《つうろ》——」

レナ姫《ひめ》の言葉《ことば》を聞《き》いて、ララ姫《ひめ》は、思《おも》いだしました。

今《いま》、ララ姫《ひめ》たちの目《め》の前《まえ》にある、大《おお》きなかがみのうらが、ひみつの通路《つうろ》の出入《でい》り口《ぐち》なのです。

通路《つうろ》は、百年以上前《ねんいじょうまえ》は、お城《しろ》の外《そと》とつながっていたそうですが、かべがくずれていて、もう、外《そと》とはつながっていません。

最近《さいきん》は、子《こ》どもたちの楽《たの》しい遊《あそ》び場《ば》になっていて、一年前《ねんまえ》は、ポリーやオリバー王子《おうじ》もいっしょに、中《なか》に入《はい》って、いろいろとおしゃべりもしました。

「落《お》としたあとに、わたし、さがしに行《い》こうと思《おも》ったのだけれど、ちょうど、そのときに、城《しろ》の人《ひと》によってとびらがふさがれてしまったの。もう古《ふる》くて、あぶないからって」

そういうと、レナ姫《ひめ》は、軽《かる》くかがみをおしました。

かがみは、ギイッと音《おと》を立《た》てて、こちらがわに開《ひら》きました。

そこには、以前《いぜん》はトンネルのような通路《つうろ》がありましたが、今《いま》は入《い》り口《ぐち》に木《き》の板《いた》が打《う》ちつけられています。

ララ姫《ひめ》は、板《いた》と板《いた》のあいだに、小《ちい》さなすき間《ま》があるのに気《き》づきました。

（もしかして、ここなら、ここから入《はい》れるかしら？）

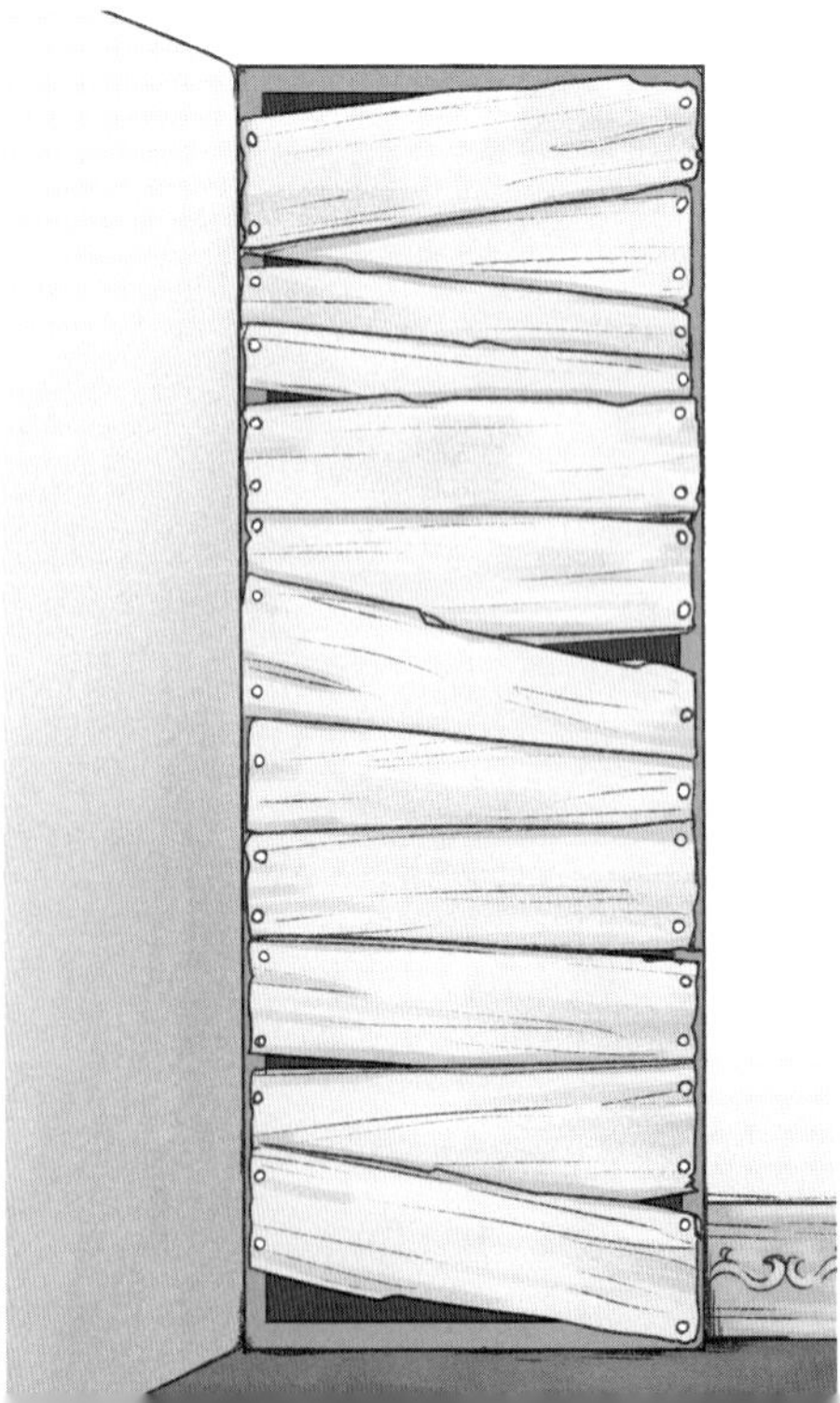

「レナ姫《ひめ》。そのかみかざり、どんな大《おお》きさなの？　通路《つうろ》のどのあたりに落《お》としたか、おぼえてる？」

ララ姫《ひめ》は、レナ姫《ひめ》に、いろいろとたずねました。

（かみかざりがあったら、二人《ふたり》のなか直《なお》りのきっかけになるかもしれないわ）

ララ姫《ひめ》は、そんなふうに思《おも》ったのです。

6

アルテシア王国《おうこく》で

その夜《よる》――。

遠《とお》くはなれたアルテシア王国《おうこく》では、マリーナ女王《じょおう》がテラスに出《で》て、星空《ほしぞら》を見上《みあ》げていました。

「マリーナ女王《じょおう》さま、急《いそ》ぎのお知《し》らせです」

後《うし》ろから声《こえ》がかかりました。女《じょ》王《おう》のお世話係《せわがかり》です。

マリーナ女王《じょおう》は、ふりかえりました。

「フローラ王国《おうこく》から、手紙《てがみ》がとどきました」

「まあ、何《なに》かしら?」

マリーナ女王《じょおう》は、手紙《てがみ》を開《ひら》きました。

「ノーラからだわ。まあ、ララの舞踏会用《ぶとうかいよう》のドレスがないのね。すぐにさがして、とどけましょう」

マリーナ女王《じょおう》とお城《しろ》の人《ひと》たちは、いしょう部屋《べや》へ行《い》き、すみずみまで、ドレスをさがしました。

でも、ドレスは見《み》つかりません。

マリーナ女王《じょおう》は、ふと、いしょう部屋《べや》のゆかに何《なに》かが落《お》ちているのに気《き》づきました。

　それは、小《ちい》さな小《ちい》さな、あわい青色《あおいろ》の貝《かい》がらでした。

「まるで、前《まえ》に本《ほん》で読《よ》んだ……海《うみ》の国《くに》からのおたよりのようだわ」

　マリーナ女王《じょおう》は、ていねいに貝《かい》がらを拾《ひろ》いあげ、しばらくしてから、お城《しろ》の人《ひと》たちにつげました。

「ドレスは、きっと、だいじょうぶだわ。あした、明《あか》るくなったら、ねんのため、あと少《すこ》し、さがしてみましょう」

　マリーナ女王《じょおう》は、部屋《へや》にもどると、もう一度《いちど》テラスに出《で》て、星空《ほしぞら》を見上《みあ》げました。

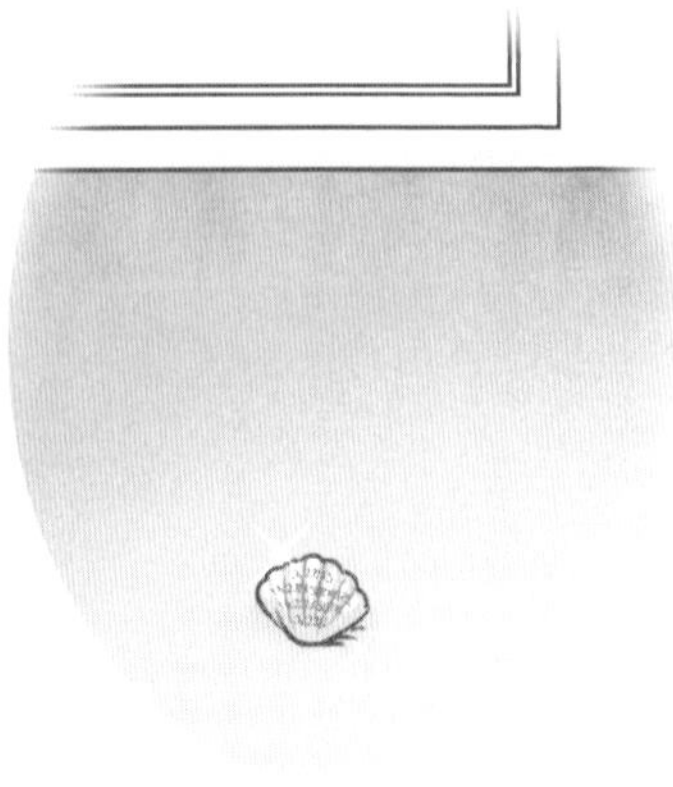

いつの間《ま》にか、テラスの手《て》すりには、一ぴきの黒《くろ》ねこが、ちょこんとすわっていました。

「こんばんは、黒《くろ》ねこさん」

女王《じょおう》が声《こえ》をかけると、黒《くろ》ねこは、あいさつをするかのように、**ニャー**と、鳴《な》きました。

「黒《くろ》ねこさん、ララ姫《ひめ》は、フローラ王国《おうこく》で、元気《げんき》にすごしているようすよ」

黒《くろ》ねこが、しっぽをふりました。

女王《じょおう》の左手《ひだりて》には、ブルーサファイアのゆびわが、しずかに青《あお》くかがやいています。ゆびわは、ララ姫《ひめ》が持《も》っているブローチとつながっていて、もし、ララ姫《ひめ》に何《なに》かあったときには、ゆびわの石《いし》が光《ひか》って知《し》らせてくれるのです。

「南《みなみ》の国《くに》で、ねこになって冒険《ぼうけん》しても、ポリーもテオもいるもの。だいじょうぶだと思《おも》うわ」

女王《じょおう》は、黒《くろ》ねこをやさしく見《み》つめながら、つづけました。

「前《まえ》に、わたしが小《ちい》さなとき、黒《くろ》ねこさんのおばあさんと、たくさん冒険《ぼうけん》したと、おつたえしたでしょう。そのころにね、あ

なたのおばあさんと、テオは会《あ》っているの。

小《ちい》さな少年《しょうねん》だったテオは、一人《ひとり》ぼっちで、この国《くに》にまよいこんだの。おなかが空《す》いて、ふらふらでたおれそうになっていたテオを助《たす》けようと、ねこになったわたしと、あなたのおばあさんで、ある人《ひと》をよんだの。ねこのわたしたちにやさしくせっしてくれていた——そのときの、お城《しろ》の料理長《りょうりちょう》よ。

それからテオは、料理長《りょうりちょう》の家《いえ》でくらすことになったのだけれど。毎日《まいにち》のごはんが、とってもおいしくて、テオは、みるみる元気《げんき》になっていったわ。テオは、それがきっかけで、料理人《りょうりにん》になりたいと思《おも》ったそうよ。

これまで、テオと、ねこになれる魔法《まほう》のことを話《はな》したことはないけれど、もしかしたら気《き》づいているのかもしれないわ」

マリーナ女王《じょおう》の話《はなし》に、黒《くろ》ねこは、しずかに耳《みみ》をかたむけているようです。

満天《まんてん》の星《ほし》が、女王《じょおう》と黒《くろ》ねこを見守《みまも》るように、しずかに、またたいていました。

7

海《うみ》の国《くに》の魔《ま》法《ほう》!?

　次《つぎ》の日《ひ》の朝《あさ》のことです。

　ゆっくり起《お》きあがったララ姫《ひめ》は、ソファにおかれているものを見《み》て、目《め》をぱちぱちさせました。

　そこにあったのは――。

　ゆくえ不明《ふめい》になっていた、ララ姫《ひめ》が舞踏会《ぶとうかい》に着《き》るドレスだったのです！

　ララ姫《ひめ》は、急《いそ》いで、ソファにかけよりました。

ララ姫《ひめ》のドレスに、まちがいありません。
きれいな青《あお》の布地《ぬのじ》の上《うえ》に、ダンスをするとふわりと動《うご》くオーガンジーの布《ぬの》、そして、かがやくししゅう。
ドレスの近《ちか》くには、あわい青色《あおいろ》の貝《かい》がらが一つ、おいてありました。
そのとき、コンコン、と

ノックの音《おと》がしました。

「姫《ひめ》さま、おはようございます」

元気《げんき》のない声《こえ》でそういって、部屋《へや》に入《はい》ってきたのは、ノーラです。

「ノーラ、おはよう！　ねえ、こちらを見《み》て！」

ララ姫《ひめ》のそばにあるドレスを見《み》て、ノーラは目《め》を丸《まる》くしました。

そして、

「まあ！」

と、声《こえ》を上《あ》げて、かけよります。

「ゆめでしょうか。こちらは、舞踏会《ぶとうかい》のドレスではありませんか！」

「ふしぎでしょう？　サイズも、わたしのものだわ」

ララ姫《ひめ》は、ドレスを体《からだ》に当《あ》てながら、つづけました。

「夜中《よなか》に、いったい、だれがおいてくれたのかしら……」

「ああ、安心《あんしん》いたしました。さっそく、アルテシア王国《おうこく》に、また、ハトをとばせて、ドレスが見《み》つかったことをお知《し》らせしますね！　失礼《しつれい》します」

ノーラは、大急《おおいそ》ぎで出《で》ていこうとして、ふりかえりました。

「そうでした、どなたかがドレスをとどけてくださったとしても、部屋《へや》に自由《じゆう》に出入《でい》りできてしまうのは大問題《だいもんだい》です。警備《けいび》をきちんとさせますね！」
「ええっと、それはだいじょうぶよ！」
と、ララ姫《ひめ》は、あわてていいました。
ララ姫《ひめ》は今日《きょう》の昼間《ひるま》、ねこになって出《で》かけようと思《おも》っていました。
だれかに見《み》つかったら、たいへんです。
それに、ドレスの近《ちか》くにあった、かわいらしい貝《かい》から――。
目《め》をこらすと、文字《もじ》のようなものが書《か》かれていたのです。
（こわがることではないわ！　きっと、やさしいだれかが、と

どけてくれたんだわ）
と、ララ姫《ひめ》は思《おも》ったのです。
朝《あさ》ごはんを食《た》べおわったあと、ララ姫《ひめ》はポリーをさそって、
テオに会《あ》いに行《い》きました。
テオは、ハーブをつみに、庭園《ていえん》にいました。
ララ姫《ひめ》とポリーに気《き》づいたテオは、すぐに立《た》ちあがり、にこっ

としました。

「どうかなさいましたか、おじょうさま方《がた》」

「テオ。それがね、ふしぎなことがあったの」

ララ姫《ひめ》は、小《ちい》さな貝《かい》がらを見《み》せながら、部屋《へや》にドレスがおいてあったことを話《はな》しました。

「これは魔法《まほう》なのかしら？　物知《ものし》りのテオなら、もしかしたら、何《なに》か、知《し》っているんじゃないかなと思《おも》ったの」

テオは、少《すこ》し考《かんが》えるようにまゆをよせると、口《くち》を開《ひら》きました。

「これは、フローラ王国《おうこく》の海《うみ》のそばのレストランで、しばらく修行《しゅぎょう》をしていたときに聞《き》いた話《はなし》ですが……。この南《みなみ》の海《うみ》には、魔法《まほう》の王国《おうこく》があるというのです」

ララ姫《ひめ》は、はじめて聞《き》く話《はなし》に、びっくりしました。

「海《うみ》の中《なか》に王国《おうこく》があるの?」

「はい。とても小《ちい》さな人魚《にんぎょ》たちの王国《おうこく》です。五十年《ねん》に一度《ど》、その王国《おうこく》の王子《おうじ》、王女《おうじょ》は、五日《いつか》間《かん》、陸《りく》にやってくるのです。陸《りく》の世界《せかい》を見学《けんがく》するためだといわれています。陸《りく》にいるあいだは、羽《はね》かつばさのようなもので、自由《じゆう》にとぶことができるそうです。きれいに光《ひか》りながらとぶよ

うすは、たいへん美《うつく》しいといわれています」

「ゆめが広《ひろ》がる話《はなし》ね！　お会《あ》いしてみたいな」

ポリーが、うっとりとしながら、いいました。

テオは、「ええ」と、ゆっくりうなずくと、つづけました。

「じつは、こちらに着《つ》いた日《ひ》に、わたしは、少《すこ》し気《き》になる光《ひかり》を見《み》かけました。次《つぎ》の日《ひ》、リオンも見《み》たと聞《き》いています。

それでも、まさかと思《おも》っていたのですが……この貝《かい》がらには、海《うみ》の国《くに》の文字《もじ》が書《か》かれています。ほんとうに、王子《おうじ》か王女《おうじょ》が陸《りく》にやってきているのかもしれません」

「では、ドレスを運《はこ》んでくれたのは、その人魚《にんぎょ》さんなの？」

ララ姫《ひめ》は、ドキドキしながら、たずねました。

「そうかもしれませんね。伝説《でんせつ》や魔法《まほう》は、ほんとうにそんざいしていることがありますからね」

テオの言葉《ことば》に、ララ姫《ひめ》もポリーも、深《ふか》くうなずきました。

「テオ、今《いま》の話《はなし》は、ノーラに話《はな》しても、だいじょうぶ？」

「ええ、ひみつの話《はなし》ではありませんよ。また、何《なに》かあったら、おたずねくださいね。わたしも、わかったことがあったら、おつたえします」

そういって、テオは、ほほえみました。

三人《にん》は気《き》づいていませんでしたが、すぐ近《ちか》くで、光《ひかり》が、くるくるときらめきながら、ういていました。

ララ姫《ひめ》とポリーは、ゆめ心地《ごこち》で部屋《へや》にもどりました。

そして、ノーラに、テオから聞《き》いた話《はなし》をつたえたのです。

ノーラは、話《はなし》を聞《き》きおわると、

「まあ、その人魚《にんぎょ》さんに、お礼《れい》を申《もう》しあげたいです！」

と、感動《かんどう》したようすでいいました。

「だから、ノーラ、警備《けいび》の人《ひと》は、ふやさなくてだいじょうぶよ」

ララ姫《ひめ》がいうと、ノーラは、しぶしぶと、

「わかりました」

といって、いそいそと部屋《へや》を出《で》ていきました。

「さあ、わたしは、あの通路《つうろ》に行《い》ってくるわ！」

ララ姫《ひめ》は立《た》ちあがり、ペンダントにふれたのでした。

8

ひみつの通路《つうろ》を冒険《ぼうけん》

ララ姫《ひめ》のペンダントから、光《ひかり》があふれでます。

しばらくして、目《め》を開《あ》けると、ララ姫《ひめ》は、いつものとらねこに変身《へんしん》していました。

『さあ、行《い》きましょう！』

ミャ！　というララ姫《ひめ》に、ポリーがうなずきました。

「出発《しゅっぱつ》ね！」

ララ姫《ひめ》が、かごの中《なか》に入《はい》ります。

ポリーはかごを持《も》ちあげると、
いしょう部屋《べや》へ向《む》かいました。
部屋《へや》の前《まえ》に着《つ》くと、ララ姫《ひめ》は、
かごからとびおりました。

「気《き》をつけてね」

ポリーが、ささやきました。

ララ姫《ひめ》は、『ええ！』と返事《へんじ》をするようにしっぽを軽《かる》くふると、とびらのすき間《ま》から部屋《へや》の中《なか》に入《はい》りました。

（あら？）

ポリーは、目《め》をまたたかせました。

ララ姫《ひめ》のあとを追《お》うように、小《ちい》さな光《ひか》るものが、ふわふわととんで、部屋《へや》の中《なか》に入《はい》っていったように見《み》えたのです。

いしょう部屋《べや》に入《はい》ったララ姫《ひめ》は、ジャンプをすると、かがみを軽《かる》くおしました。

ギイと音《おと》がして、ゆっくり、かがみが開《ひら》きます。

かがみのうらの出入《でい》り口《ぐち》は板《いた》でふさがれていて、一か所《しょ》だけ、小《ちい》さなすき間《ま》があります。

（行《い》ってこよう！）

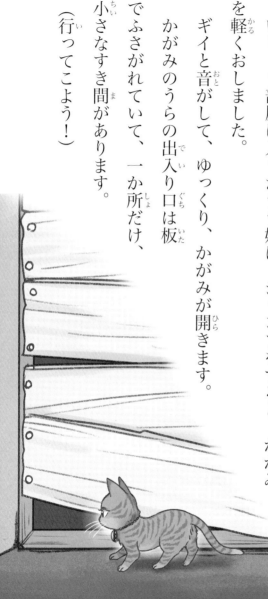

ララ姫《ひめ》は、すき間《ま》からするりと、中《なか》に入《はい》りました。

通路《つうろ》の先《さき》は、真《ま》っ暗《くら》やみで、しんとしずまりかえっていました。

(ああ、どうしよう! よく見《み》えないわ。前《まえ》に、レナ姫《ひめ》たちと来《き》たときは、ろうそくの明《あ》かりがあったんだけど)

そのとき、おどろくことが起《お》こりました。

とつぜん、通路《つうろ》が、ぽわっと、光《ひかり》でてらされたのです。光《ひかり》の中《なか》にいたのは――ねこのララ姫《ひめ》より、ずっと小《ちい》さな女《おんな》の子《こ》でした。フローラ王国《おうこく》の海《うみ》のような、きれいな青色《あおいろ》のドレスを着《き》て、羽《はね》をゆっくりと羽《は》ばたかせて、宙《ちゅう》にういています。ひとみは、キラキラとかがやき、おもしろそうにララ姫《ひめ》のことを見《み》つめていました。

『ミャー』（あなたは、どなた？）

ララ姫《ひめ》が思《おも》わずたずねると、女《おんな》の子《こ》は、とびながら、ていねいにドレスをつまんでおじぎをしました。

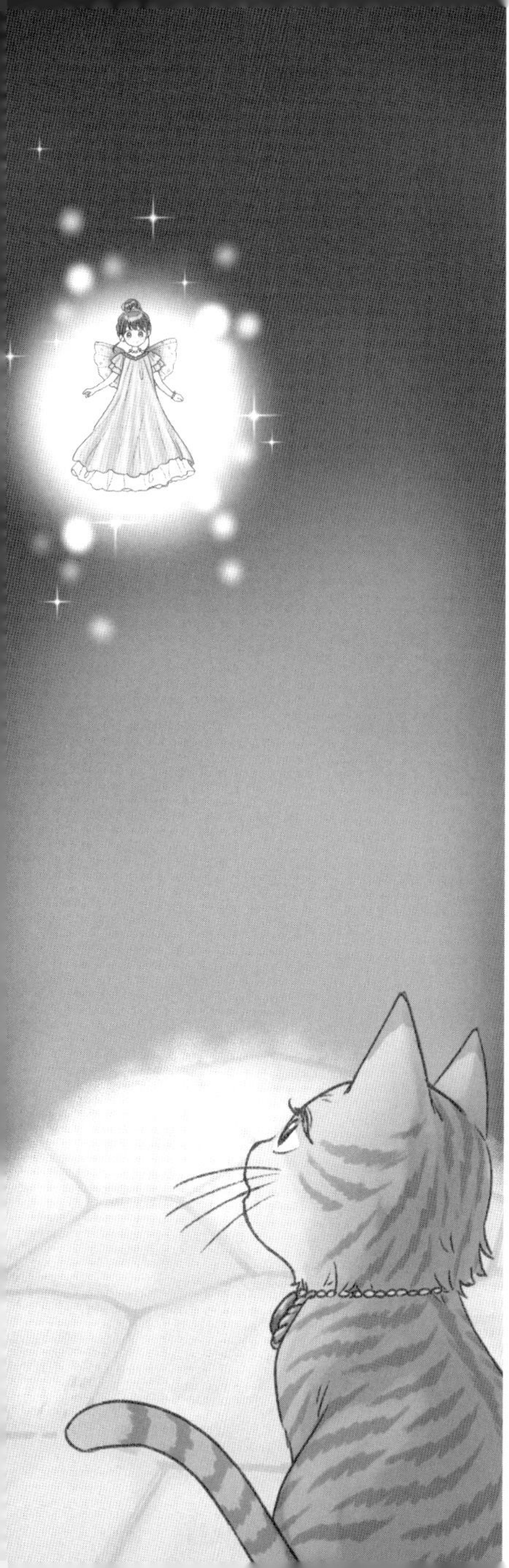

〝はじめまして、ララ姫《ひめ》。わたしはパール。海《うみ》の国《くに》の王女《おうじょ》なの〟

ララ姫《ひめ》の頭《あたま》の中《なか》に、かわいらしい声《こえ》がひびきます。

パール姫《ひめ》の声《こえ》でしょうか。

『ミャミャ……！』（はじめまして！　わたしはアルテシア王《おう》国《こく》の……！）

ララ姫《ひめ》は、自分《じぶん》の名前《なまえ》をいいそうになって口《くち》をつぐみました。

ねこになれるのは、ひみつにしなければなりません。

話《はな》していいのは、とくべつな友《とも》だちだけです。

すると、目《め》の前《まえ》にいるパール姫《ひめ》が、

〝ねこになれるのね、ララ姫《ひめ》さん！〟

といって、ウインクしました。

（どうしよう！　変身《へんしん》するのを見《み》られてしまったのかしら）

そんなララ姫《ひめ》の心《こころ》の中《なか》を見《み》すかしたかのように、パール姫《ひめ》がにこにこしました。

〝だいじょうぶよ、だれにも話《はな》さないわ。陸《りく》にもいろいろな魔《ま》法《ほう》があるのね。それより、先《さき》に進《すす》みましょう！　ここに来《き》たのはさがし物《もの》があるからでしょう？　わたしが通路《つうろ》をてらすから、ついてきてね！〟

パール姫《ひめ》の言葉《ことば》に、ララ姫《ひめ》は、ますますおどろきました。小《ちい》さな姫《ひめ》は、いろんなことを知《し》っているようです。

『ありがとう、パール姫《ひめ》。それでは、おねがいするわ』

と、ララ姫《ひめ》がいうと、パール姫《ひめ》は、小《ちい》さくうなずきました。

ララ姫《ひめ》は、ねこになっていると、ポリーとも、黒《くろ》ねことも話《はな》すことができませんが、パール姫《ひめ》には、言葉《ことば》が通《つう》じるようです。

パール姫《ひめ》が、通路《つうろ》のおくへと、ふわふわとびはじめたので、ララ姫《ひめ》は、あわててあとを追《お》いました。

暗《くら》やみで放《はな》つ光《ひかり》は、
キラキラと美《うつく》しく、たくさんの小《ちい》さな宝石《ほうせき》のようです。

人間《にんげん》が通《とお》る通路《つうろ》は、ねこのララ姫《ひめ》にとっては広《ひろ》いものでした。
かみかざりを見落《みお》とさないように、左右《さゆう》に歩《ある》きながら、おくへ
ゆっくりと進《すす》みます。

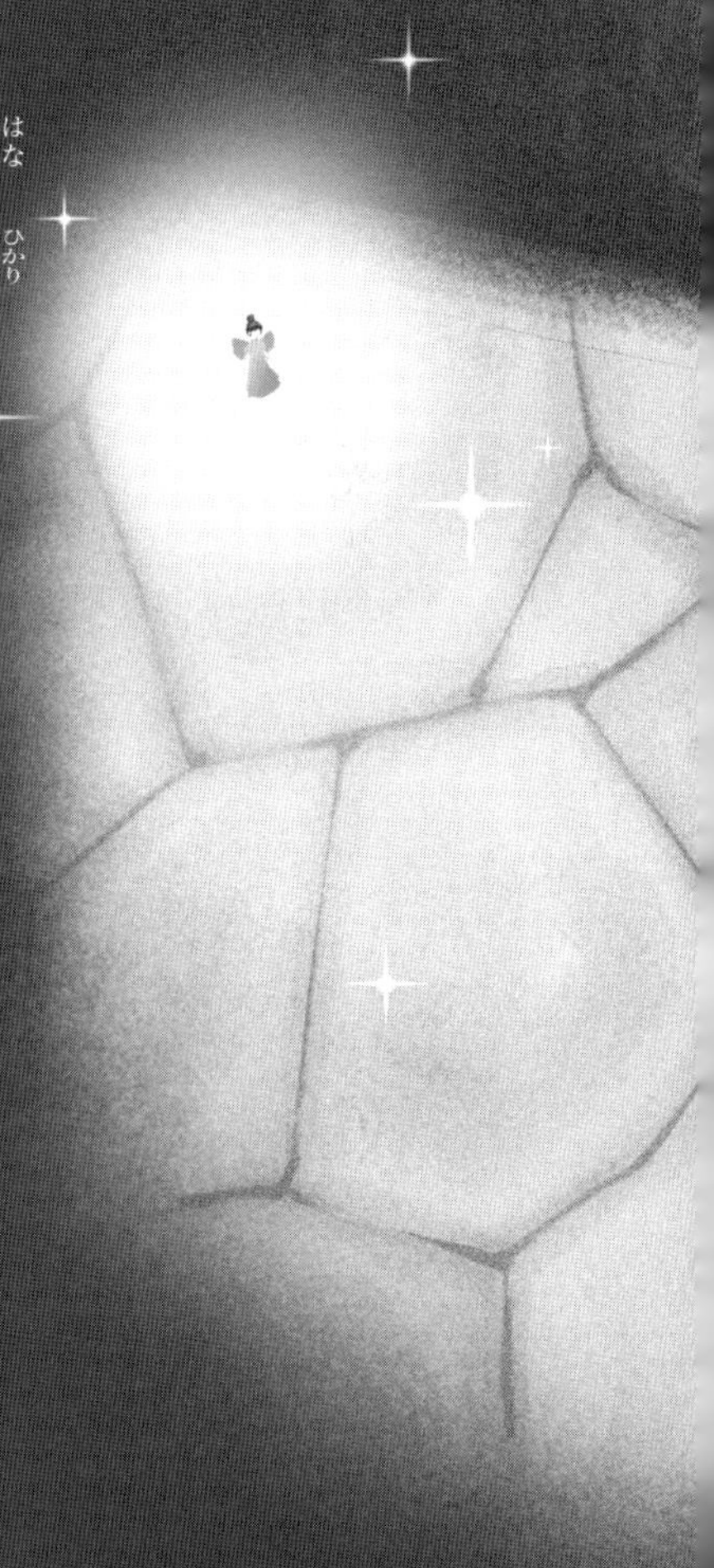

〝どう？　もう少《すこ》し先《さき》かしら？〟

『ええ。レナ姫《ひめ》も、どこで落《お》としたかは、わからないみたいなの……。あ！　あれかしら！』

ララ姫《ひめ》は、走《はし》りだしました。

少《すこ》し先《さき》に、光《ひかり》に反射《はんしゃ》して、青《あお》や緑《みどり》に、きらめいたものが見《み》えたのです。

パール姫《ひめ》も、す早《ばや》く、とんでいきます。

『あった！』

通路《つうろ》の真《ま》ん中《なか》に、ぽつんと落《お》ちていたのは、かわいらしいかみかざりでした。きれ

いなアクアマリンや、エメラルドが、お花《はな》のようにデザインされています。

『どうやって、運《はこ》ぼうかしら』

ララ姫《ひめ》がそういうと、パール姫《ひめ》が、ひらめいた！という顔《かお》をしました。

そして、かみかざりを両手《りょうて》で拾《ひろ》うと、ララ姫《ひめ》のペンダントの首《くび》わのところに、はさんでくれました。

少《すこ》し重《おも》いけれど、今来《いまき》た道《みち》のりなら、運《はこ》べそうです。

『ありがとう、パール姫《ひめ》。さあ、もどりましょう』

ララ姫《ひめ》は、そういうと、パール姫《ひめ》と通路《つうろ》をもどりはじめました。

いしょう部屋《べや》のとびらでは、ポリーが待《ま》っていました。

ララ姫《ひめ》のすがたを見《み》ると、ポリーはほっとした顔《かお》になりましたが、横《よこ》にいるパール姫《ひめ》を見《み》て、目《め》を丸《まる》くしました。

「ララ姫《ひめ》、お帰《かえ》り！　よかった！　かみかざりも見《み》つかったのね……あなたは？」

パール姫《ひめ》が、にこっとしました。

〝ポリーさん、はじめまして。わたしは、海《うみ》の国《くに》のパール姫《ひめ》です〟

「パール姫《ひめ》！　あの、海《うみ》の国《くに》から来《き》たの？　わたしの名前《なまえ》を、知《し》っているのね。ああ、どうしましょう、ききたいことが、たくさんあるわ」

ポリーは、こうふんしたようにいうと、一度息《どいき》をすってから、つづけました。

「でも、レナ姫《ひめ》におとどけするのが先《さき》かしら」

ポリーがそういうと、ララ姫《ひめ》はミャ！（そうね！）といい、パール姫《ひめ》は光《ひかり》を美《うつく》しく放《はな》ちながら、うなずきました。

ポリーの手《て》もとのかごの中《なか》に、ララ姫《ひめ》とパール姫《ひめ》が入《はい》り、レナ姫《ひめ》のいる広間《ひろま》へと向《む》かいます。

広間《ひろま》で舞踏会《ぶとうかい》のおどりの練習《れんしゅう》をすると、けさ、レナ姫《ひめ》が話《はな》していたのです。

広間《ひろま》に近《ちか》づくと、バイオリンの演《えん》そうが聞《き》こえてきました。

ポリーが、かごを、そっとゆかにおき、ララ姫《ひめ》が、ぴょんと外《そと》に出《で》ました。パール姫《ひめ》も、ふわりと出《で》てきます。

ララ姫《ひめ》は、

『ミャ！』（行《い》ってくるわ！）

というと、広間《ひろま》の中《なか》をのぞきこみ、そして、音《おと》も立《た》てずに中《なか》へかけだしました。

レナ姫《ひめ》は、ちょうど、いすにすわって、休《やす》んでいるところでした。

ララ姫《ひめ》は、いくつかの、いすの下《した》をくぐり、レナ姫《ひめ》の前《まえ》に、すっとすわりました。

「あら！　こんなところに、ねこさん⁉」

びっくりしたようすのレナ姫《ひめ》でしたが、ララ姫《ひめ》の首《くび》もとを見《み》て、さらに目《め》を見開《みひら》きました。

「そのかみかざり――」

そういいながら、目《め》に、どんどんなみだがたまって、やがてぽとりと落《お》ちました。

「ねこさん、持《も》ってきてくれたの？　ありがとう！　なんてこ

となの！」

レナ姫《ひめ》は、ララ姫《ひめ》の首《くび》わからかみかざりを外《はず》すと、ていねいに手《て》のひらにのせました。目《め》からは、また、なみだがこぼれおちます。

レナ姫《ひめ》がなみだをぬぐっている間《ま》に、ララ姫《ひめ》は、しずかに走《はし》りさりました。

9

新《あたら》しいお友《とも》だち

ララ姫《ひめ》とポリー、パール姫《ひめ》は、海《うみ》をのぞむ庭《にわ》で、すわっておしゃべりしていました。

ララ姫《ひめ》は、ポリーに、ねこめ石《いし》をなでてもらい、人間《にんげん》のすがたにもどっています。

パール姫《ひめ》は、小《ちい》さく切《き》ったおかしを一口《ひとくち》食《た》べて、

〝おいしいわ！〟

と、感動《かんどう》したように、いいました。

「ねえ、パール姫《ひめ》。もしかして、わたしのドレスを、とどけてくれたのは、あなたなの？」

ララ姫《ひめ》がたずねると、パール姫《ひめ》は、軽《かろ》やかにとびはねました。

〝すぐに移動《いどう》ができる魔法《まほう》を二度《ど》だけ使《つか》えるの。それで、アルテシア王国《おうこく》へ行《い》って、ドレスといっしょに、すぐ帰《かえ》ってきた！楽《たの》しかったわ〟

「二度《ど》だけの魔法《まほう》？」

おどろいて、ララ姫《ひめ》は、目《め》を丸《まる》くしました。

「そんな大切《たいせつ》な魔法《まほう》を使《つか》ってくれたなんて。ほんとうにありがとう。とても助《たす》かったわ」

ララ姫《ひめ》は、心《こころ》から、そうつたえました。

〝だって、こまっていそうだったから〟

と、パール姫《ひめ》は、なんてことないようにいいます。

〝もう少《すこ》し、アルテシア王国《おうこく》にいたかったけれど。テラスのところに、黒《くろ》いねこさんがいて、目《め》が合《あ》ったわ。そうそう、わたしからも、お礼《れい》をつたえたかったの。

ララ姫《ひめ》さんと、ポリーさん。キュルを助《たす》けてくれて、ありがとう！　きのうの朝《あさ》、海《うみ》に放《はな》してくれたでしょう？〟

ララ姫《ひめ》とポリーは、小《ちい》さなイルカの

ような生《い》き物《もの》を思《おも》いだしました。

〝キュルは、わたしのペットで、友《とも》だちなの。陸《りく》に来《き》たわたしを、追《お》いかけてきて、岩場《いわば》に入《はい》ってしまったのを、あなたたちが助《たす》けてくれたのよ。それで、あなたたちのことが気《き》になって、ついていったの。そうしたら、ねこが人《ひと》に変身《へんしん》したから、びっくりしたわ！〟

パール姫《ひめ》が、さぞかしおどろいたといったようすで目《め》を丸《まる》くしたので、ララ姫《ひめ》とポリーは、ふふふっとわらいました。

でも、パール姫《ひめ》は、少《すこ》しさみしそうに、目《め》をふせました。

〝わたしね、その……。あまりたくさんの人《ひと》たちと、お友《とも》だちになっては、いけないの。海《うみ》の国《くに》の場所《ばしょ》も、ひみつ。昔《むかし》、海《うみ》の国《くに》は、陸《りく》の人《ひと》に、ねらわれてしまったことがあったから。だけど——“

パール姫《ひめ》は、気《き》をとりなおしたように、顔《かお》を上《あ》げ、ララ姫《ひめ》とポリーのほうを見《み》ました。

”だから、あなたたちと、お友《とも》だちになれたら、うれしいわ！“

「わたしたちもよ！」

ララ姫《ひめ》がいって、ポリーも、うんとうなずきます。

「ねえ、パール姫《ひめ》。あさってまでいられるのよね。あさっては舞踏会《ぶとうかい》があるの。よかったら、わたしたちといっしょに、出《で》てみない？」

〝まあ！　いいの⁉〟

パール姫《ひめ》は、ララ姫《ひめ》のさそいが、うれしくてたまらないといったようすで、羽《はね》をはばたかせました。

一方《いっぽう》、海辺《うみべ》の木《こ》かげでは、オリバー王子《おうじ》が一人《ひとり》、すわりながら海《うみ》を見《み》つめていました。

「オリバー王子《おうじ》！」

と、頭上《ずじょう》から声《こえ》がかかりました。

よく知《し》っている人《ひと》――レナ姫《ひめ》の声《こえ》です。
オリバー王子《おうじ》は、おどろいて、上《うえ》を向《む》きました。
木《き》からするすると、レナ姫《ひめ》が下《お》りてきます。

「わたし、少《すこ》し前《まえ》から木《き》の上《うえ》で海《うみ》を見《み》ていたのよ。そうしたらオリバー王子《おうじ》が来《き》たの。でも、わたしにずっと気《き》づかないで考《かんが》えこんでいるから、思《おも》わず声《こえ》をかけてしまったわ」

レナ姫《ひめ》はそういうと、ほほえみました。

オリバー王子《おうじ》が、目《め》を見開《みひら》きました。

レナ姫《ひめ》のかみに、心《こころ》をこめておくった、かみかざりがきらめいています。

「ごめんなさい、わたし、じつは、このかみかざりをなくしてしまったの。だから、ずっと、つけられなかった。正直《しょうじき》にいわなくて、ほんとうにごめんなさい」

レナ姫《ひめ》は、心《こころ》からあやまりました。

「いや、そうか。そうだったんだね」

オリバー王子《おうじ》は、少《すこ》しはずかしそうに、でも真《ま》っすぐ、レナ姫《ひめ》を見《み》つめると、つづけました。

「ぼくも、勝手《かって》に、思《おも》いちがいをしてしまっていたんだ。えっと、そのかみかざりは、とても気持《きも》ちをこめたものだったから」

「ええ！　ありがとう！」

二人《ふたり》の上《うえ》を、海鳥《うみどり》たちが、ゆうがにとんでいきます。

そして、海《うみ》の遠《とお》くのほうに、うっすらとあらわれたのは——。

大《おお》きなにじでした。

しばらくだまって海《うみ》を見《み》ていた二人《ふたり》でしたが、王子《おうじ》は、ふと、たずねました。

「レナ姫《ひめ》、ところで、なくしたかみかざりは、どこにあったの？」

「あのひみつの通路《つうろ》に落《お》としてしまったのだけど……ねこが持《も》ってきてくれたの！」

思《おも》わぬ返事《へんじ》に、オリバー王子《おうじ》は、目《め》をぱちぱちさせました。

10

海《うみ》の近《ちか》くの町《まち》で

次《つぎ》の日《ひ》の、よく晴《は》れた午後《ごご》。

「このあたりかしら！」

ララ姫《ひめ》がいって、ポリーとパール姫《ひめ》といっしょに、馬車《ばしゃ》をおりました。

パール姫《ひめ》は、ララ姫《ひめ》が持《も》つ、かごの中《なか》に入《はい》っています。

今日《きょう》は、みんなで、フローラ王《おう》国《こく》の、お城《しろ》の近《ちか》くの町《まち》に来《き》たのです。

太陽《たいよう》がさんさんとふりそそぐ道《みち》には、白《しろ》い建物《たてもの》とヤシの木《き》がならび、色《いろ》とりどりの花《はな》がさきみだれています。

「このお店《みせ》、レナ姫《ひめ》がおすすめっていっていた所《ところ》かしら」

なかでも、たくさんの花《はな》が店先《みせさき》に植《う》えられている所《ところ》で、ララ姫《ひめ》が立《た》ちどまりました。

〝海《うみ》の音《おと》が聞《き》こえる店《みせ》〟

と、かん板《ばん》がかかっています。

今年《ことし》オープンしたそうで、ララ姫《ひめ》たちも、来《く》るのははじめてでした。

とびらを開《あ》けると、リン、と小《ちい》さく、すずの音《おと》が鳴《な》りました。

まるで、白《しろ》いどうくつのようなお店《みせ》の中《なか》は、貝《かい》がらや、きれいな石《いし》のアクセサリー、美《うつく》しい羽根《はね》がついたペン、すずしげなドレス――。すてきな物《もの》で、あふれています。

〝かわいらしいわ！〟

かごから、外《そと》をのぞきながら、パール姫《ひめ》が感動《かんどう》したようにいいました。

「これ、きれいだわ!」

そういって、ポリーが、かけよったのは、お花《はな》の形《かたち》のペンダントトップです。

「かわいいわ。クロエに、にあいそうね!」

ララ姫《ひめ》がいうと、ポリーは、うなずきました。

「わたしも、そう思《おも》ったの! クロエへの、おみやげにどうかしら」

「いいわね! そうしましょう」

〝わたし、これがすてきだと思《おも》うわ!〟

パール姫《ひめ》は、青《あお》いリボンが気《き》に入《い》ったようです。まるで海《うみ》の

色《いろ》のような、いろいろな青《あお》のリボンがあります。

ペンダントトップや、リボンのほか、ポリーはお母《かあ》さんへのおみやげに、きれいな布《ぬの》を、ララ姫《ひめ》は小《ちい》さなティアラのような形《かたち》のゆびわを買《か》って、お店《みせ》を出《で》ました。

お城《しろ》にもどると、ララ姫《ひめ》は、パール姫《ひめ》に、そのゆびわをプレゼントしました。

パール姫《ひめ》が頭《あたま》にのせると、ちょうど、かわいらしいティアラになったのです！

〝うれしい！〟

パール姫《ひめ》は、ティアラをのせたまま、楽《たの》しそうにとびまわりました。

次《つぎ》の日《ひ》は、いよいよ、舞踏会《ぶとうかい》です。

夕方《ゆうがた》、お城《しろ》の中《なか》でも、とくにながめがすばらしく、きれいな海《うみ》と、夕焼《ゆうや》けが見《み》えるいちばん大《おお》きな大広間《おおひろま》に、さまざまな国《くに》の、たくさんの人《ひと》たちが集《あつ》まっていました。

海《うみ》のさざ波《なみ》の音《おと》に合《あ》うような、ゆっくりとした音楽《おんがく》が演《えん》そうされています。

ララ姫《ひめ》は、トラン王《おう》や、ポリー、リオンなど、アルテシア王《おう》国《こく》の人《ひと》たちと、そして、パール姫《ひめ》といっしょにいました。

パール姫《ひめ》は、頭《あたま》に、ゆびわのティアラをのせ、ドレスには、小《ちい》さなビーズと、町《まち》で買《か》った青《あお》いリボンがつけられています。

パール姫《ひめ》がおねがいをして、きのう、ポリーが、ドレスにぬいあわせたのでした。

見《み》つかりそうなときは、パール姫《ひめ》は、ララ姫《ひめ》の手《て》もとの、小《ちい》さなふくろの中《なか》にかくれることになっています。

「いよいよ始《はじ》まるわね！」

ポリーが、ささやきました。

音楽《おんがく》が、軽《かろ》やかなものにかわりました。

大広間《おおひろま》のとびらが開《ひら》き、真《ま》ん中《なか》におどりながら登場《とうじょう》してきたのは、ララ姫《ひめ》より少《すこ》しお兄《にい》さん、お姉《ねえ》さんくらいの、フローラ王国《おうこく》の子《こ》どもたちです。

花《はな》わを持《も》ち、音楽《おんがく》に合《あ》わせて、大《おお》きくおどります。

花《はな》わをくるくると回《まわ》し、軽《かろ》やかにおどる、子《こ》どもたちの中《なか》には、レナ姫《ひめ》がいました。そのかみには、オリバー王子《おうじ》のおくり物《もの》のかみかざりがきらめいています。

ララ姫《ひめ》から少《すこ》しはなれたところで、オリバー王子《おうじ》は、やさしいまなざしで、レナ姫《ひめ》たちのおどりを見《み》つめていました。

子《こ》どもたちのおどりのあとは、みんなが自由《じゆう》におどる時間《じかん》です。

動《うご》きに合《あ》わせて、それぞれのドレスのすそがふわっと美《うつく》しくひるがえったり、かみかざりの宝石《ほうせき》がかがやいたり、見《み》ているだけでも美《うつく》しく、楽《たの》しいひとときでした。

ララ姫《ひめ》も、くるくるっと、その場《ば》で回《まわ》っておどりました。

「ララ姫《ひめ》！　すてきなドレスの人《ひと》たちがいると思《おも》ったら、デイジーが来《き》ているわ！」

ポリーがこうふんしたように、ささやきました。

少《すこ》し前《まえ》にアルテシア王国《おうこく》でファッションショーを開《かい》さいした、デザイナーのデイジーが、この場《ば》に来《き》ていたのです。たくさんの人《ひと》からあいさつを受《う》けていたデイジーでしたが、ふと、ララ姫《ひめ》に目《め》をとめると、ほほえんでうなずきました。

しばらくして、レナ姫《ひめ》がララ姫《ひめ》のところに来《き》ました。

「レナ姫《ひめ》、すてきなおどりだったわ」

ララ姫《ひめ》がいうと、レナ姫《ひめ》は、

「ありがとう」

と、ほほえみました。

「ララ姫《ひめ》につたえたいことがあったのよ。かみかざりが見《み》つかったの。それでね」

レナ姫《ひめ》は、少《すこ》しはなれたところにいるオリバー王子《おうじ》のほうを見《み》ると、つづけました。

「オリバー王子《おうじ》とも、なか直《なお》りができたのよ。ララ姫《ひめ》、話《はなし》を聞《き》いてくれて、ありがとう」

「よかった！　わたしもうれしいわ」

ララ姫《ひめ》は、目《め》をかがやかせました。

オリバー王子《おうじ》が、こちらに気《き》づいたようで、にこっとします。

ララ姫《ひめ》が持《も》っているふくろの中《なか》で、パール姫《ひめ》も、うれしそうにとびはねていました。

となりの広間《ひろま》には、おいしいごちそうが、用意《ようい》されていました。

おいしいパイづつみ、魚介《ぎょかい》がたっぷりと入《はい》ったスープ、南国《なんごく》のフルーツのソースがかかったお肉《にく》。

また、いろいろな国《くに》の料理《りょうり》も出《で》ています。

アルテシア王国《おうこく》のテーブルには、チョコレートとオレンジのケーキなど、テオが作《つく》ったスイーツがたくさんならべられていました。

ララ姫《ひめ》は、細《こま》かく切《き》ったものをパール姫《ひめ》にわたし、いっしょにおいしくいただきました。

やがて、ララ姫《ひめ》たちは、中庭《なかにわ》に出《で》ました。

大広間《おおひろま》からの演《えん》そうが、少《すこ》し聞《き》こえます。

〝いつも、海《うみ》の中《なか》でおどっているダンスをおひろめするわ！〟

そういうと、パール姫《ひめ》は、おどるようにとびはじめました。

音楽《おんがく》に合《あ》わせて、光《ひかり》とリボンが、ふわふわ、くるくると舞《ま》うようすは、とても美《うつく》しく、ララ姫《ひめ》とポリーは、ただただ見《み》とれていました。

お城《しろ》の舞踏会《ぶとうかい》は、そろそろ、終《お》わりが近《ちか》くなってきたようです。

三人《にん》は、ゆっくりと海辺《うみべ》に向《む》かいました。

パール姫《ひめ》が、そろそろ、海《うみ》の国《くに》に帰《かえ》る時間《じかん》になったのです。

〝二人《ふたり》のおかげで、楽《たの》しい時間《じかん》だったわ。ありがとう〟

パール姫《ひめ》の声《こえ》は、ちょっぴりなみだ声《ごえ》になっています。

「パール姫《ひめ》。こちらこそ、ありがとう！」

「また会《あ》いたいわ」

ララ姫《ひめ》とポリーも、さみしさになみだぐみながら、いいました。

パール姫《ひめ》は、さようなら、というかのように、くるりと回《まわ》ると、海《うみ》に向《む》かってとびはじめました。

パール姫《ひめ》の光《ひかり》が、だんだんと小《ちい》さくなっていきます。

やがて、海《うみ》から、たくさんの光《ひかり》のつぶがあらわれました。

息《いき》をのむような美《うつく》しさでしたが、やがて、ふっと、それらのつぶが消《き》えて、目《め》の前《まえ》は星空《ほしぞら》としずかな海《うみ》になりました。

ララ姫《ひめ》とポリーは、いつまでも
海《うみ》を見《み》つめていました。

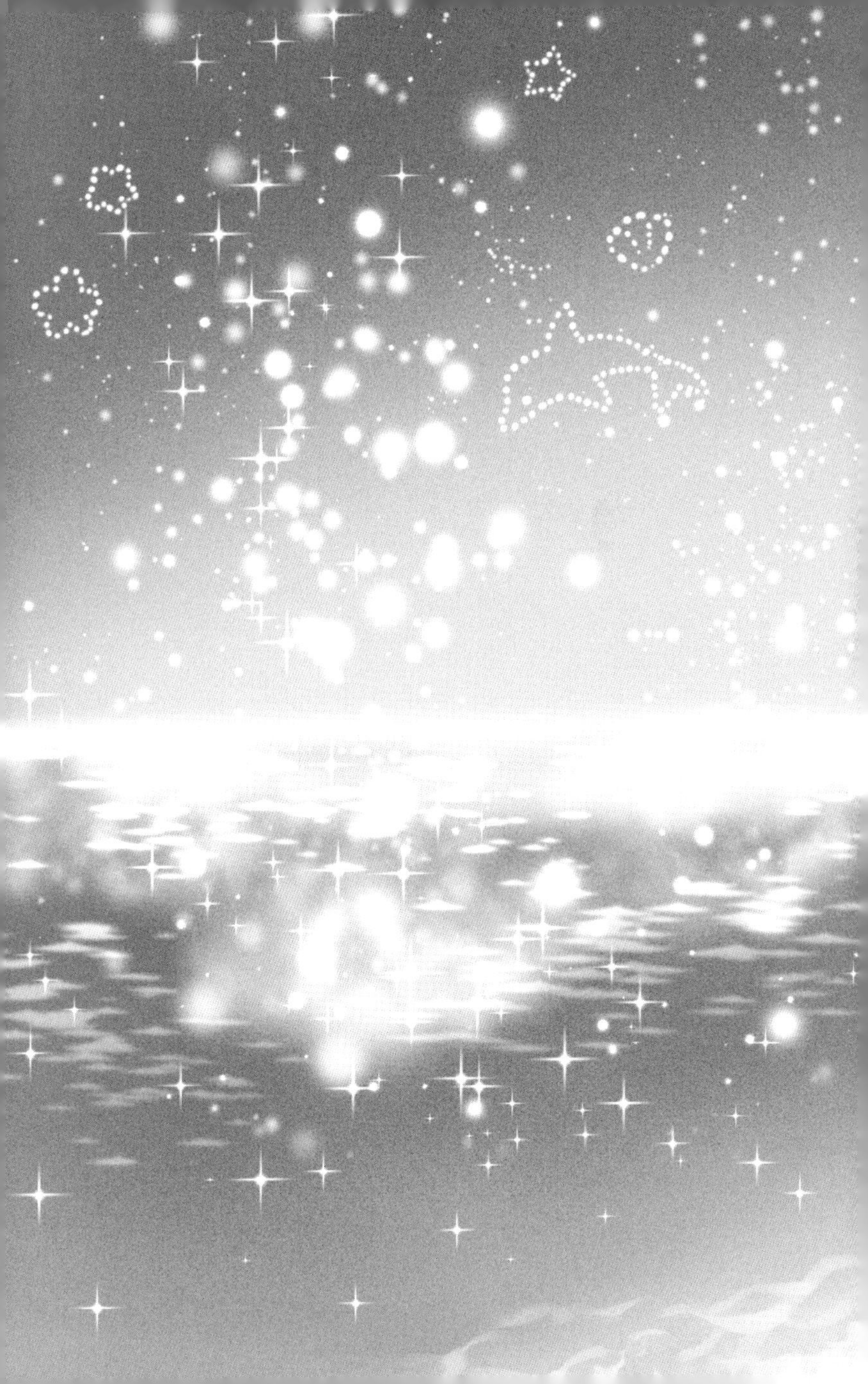

11

旅《たび》を終《お》えて

その二日後《ふつかご》。

南《みなみ》の国《くに》をおとずれていたそれぞれが、自分《じぶん》たちの国《くに》にもどるときがやってきました。

ララ姫《ひめ》たちも、アルテシア王国《おうこく》へと出発《しゅっぱつ》です。

レナ姫《ひめ》が、手《て》をふりながら、ララ姫《ひめ》のもとへと走《はし》ってきます。

「ララ姫《ひめ》、また遊《あそ》びに来《き》てね！」

「ありがとう！　レナ姫《ひめ》も、お元《げん》

気《き》で」
馬車《ばしゃ》は、ゆっくりと動《うご》きだしました。
門《もん》の近《ちか》くには、馬《うま》に乗《の》ったオリバー王子《おうじ》がいて、ララ姫《ひめ》たちを見送《みおく》ってくれました。

馬車《ばしゃ》は、しばらく海《うみ》ぞいの道《みち》を進《すす》みました。海《うみ》は、朝日《あさひ》にてらされて、青白《あおじろ》くかがやいています。

馬車《ばしゃ》は、ひたすら走《はし》ります。

やがて、太陽《たいよう》がかたむき星《ほし》が見《み》えはじめたころ――、ララ姫《ひめ》たちは、アルテシア王国《おうこく》のお城《しろ》に着《つ》いたのです。

マリーナ女王《じょおう》や、お城《しろ》の人《ひと》たちが、ほっとしたようすで、出《で》むかえてくれます。

部屋《へや》にもどると、まるでララ姫《ひめ》を待《ま》っていたかのように、黒《くろ》ねこがテラスの手《て》すりにすわっていました。

ララ姫《ひめ》は、テラスに出《で》て、黒《くろ》ねこに話《はな》しかけました。

「黒《くろ》ねこさん、ただいま！　聞《き》いてほしい話《はなし》がたくさんあるの！　でも、もうねむいから、またあしたね。お休《やす》みなさい」

黒《くろ》ねこは、安心《あんしん》したかのように、

ニャッ！

と鳴《な》くと、夜《よる》の暗《くら》やみの中《なか》に消《き》えていきました。

その夜《よる》、ララ姫《ひめ》は、ゆめを見《み》ました。

大《おお》きな、あわのような、……いつかソプラノたちの魔《ま》法《ほう》で見《み》た、しゃぼん玉《だま》のような……すきとおる丸《まる》いもののの中《なか》にララ姫《ひめ》はいました。

となりの、あわの中《なか》には、ポリーがいて、まわりを魚《さかな》たちが通《とお》りすぎます。

やがて、ララ姫《ひめ》たちを乗《の》せた丸《まる》いものは、カラフルなお城《しろ》の中《なか》に入《はい》っていきました。

大《おお》きな貝《かい》がらがついたとびらがしまり、ララ姫《ひめ》が入《はい》っていたものが、ぱちんとはじけました。

〝ようこそ、海《うみ》の国《くに》のお城《しろ》へ！〟

目《め》の前《まえ》にいるのは、ララ姫《ひめ》と同《おな》じくらいの背《せ》の、パール姫《ひめ》でした。頭《あたま》には、ゆびわのティアラをつけて、そして、美《うつく》しい尾《お》びれがあります。

どうやら、ララ姫《ひめ》とポリーは、小《ちい》さくなっているようです。

イルカのような生《い》き物《もの》に乗《の》って遊《あそ》んだり、海《かい》そうの中《なか》でおにごっこのようなゲームをしたり、ララ姫《ひめ》たちはパール姫《ひめ》とひとしきり遊《あそ》びました。

〝ララ姫《ひめ》もポリーも、今度《こんど》は、ゆめではなくて、ほんとうに会《あ》いにきてね！〟

パール姫《ひめ》がウインクして、あく手《しゅ》するように手《て》をさしだしました。

ララ姫《ひめ》とポリーが、手《て》をにぎった、そのとき――。

ララ姫《ひめ》は、アルテシア王国《おうこく》の、自分《じぶん》の部屋《へや》で目《め》ざめました。

「ああ、楽《たの》しいゆめだったわ！」

まどの外《そと》には、明《あか》るい太陽《たいよう》がかがやきはじめています。

午後《ごご》、ポリーがお城《しろ》にやってきました。

「ポリー！　すてきなゆめを見《み》たの。ポリーと、パール姫《ひめ》の国《くに》で遊《あそ》ぶゆめよ」

「ララ姫《ひめ》も見《み》たの!?　わたしも、見《み》たのよ！」

ポリーは、目《め》を丸《まる》くしました。

二人《ふたり》は、それから、ゆめのおぼえているところをすべて話《はな》しましたが、すべて同《おな》じでした。

「ふしぎだわ！　ほんとうに、行《い》っていたのかな」

ララ姫《ひめ》がいうと、ポリーはうれしそうにうなずきましたが、はっとした顔《かお》になりました。

「ララ姫《ひめ》、それは、そうと、たいへんよ！」

ポリーは、そういうと、手《て》もとの紙《かみ》を見《み》せました。

「シークレットショー」とだけ、書《か》かれています。

なにかのお知《し》らせでしょうか。

ララ姫《ひめ》が、ぱちぱちっと目《め》をまばたいたとき——。

紙《かみ》の上《うえ》で、うずのようなものが見《み》え、次《つぎ》のしゅん間《かん》、「ソプラノの歌声《うたごえ》」という文字《もじ》やソプラノの顔《かお》の絵《え》がうかびあがったのです。

ララ姫《ひめ》は、息《いき》をのみました。

「魔女《まじょ》のソプラノのコンサート？　ねえ、ポリー。今《いま》、なにが起《お》こったの？」

「魔法《まほう》かしら……。やっぱり、ララ姫《ひめ》でも、かわったわ。わたしもかわって見《み》えるの。この紙《かみ》、お母《かあ》さんが町《まち》のお店《みせ》でもらってきたのよ。お母《かあ》さんには、「シークレットショー」しか見《み》えないみたい。さっき、リオンに会《あ》って見《み》せたけど、リオンにも、かわって見《み》えないようなの」

「そのお店《みせ》に行《い》ったら、くわしくわかるかしら。ねえ、町《まち》に行《い》ってみない？」

ララ姫《ひめ》は、さっそくペンダントを取《と》りだそうとして、びっくりしました。

ねこめ石《いし》の青《あお》が、うすく白《しろ》っぽくなっているのです。

「ララ姫《ひめ》、そのペンダントの色《いろ》は――」

おだやかな日《ひ》だまりの中《なか》で、二人《ふたり》は、ただ、おどろいていました。


（つづく）

南《みなみ》の国《くに》の思《おも》い出《で》

みんなに、今回《こんかい》の
フローラ王国《おうこく》での
思《おも》い出《で》をきいたよ。

ララ姫《ひめ》

たくさんあるけど、
みんなで楽《たの》しんだ
舞踏会《ぶとうかい》かしら！

リオン

いろいろな国《くに》の
騎士見習《きしみなら》いたちと、
ボードゲームを
したこと。

ポリー

ララ姫《ひめ》とパール姫《ひめ》と、
町《まち》にお買《か》い物《もの》に
行《い》ったことかな。

パール姫《ひめ》

思《おも》い出《で》がいっぱいよ。
ララ姫《ひめ》とひみつの
通路《つうろ》を冒険《ぼうけん》したのは
ドキドキしたわ！

オリバー王子《おうじ》

レナ姫《ひめ》と、
いっしょに海《うみ》を
見《み》たこと！

レナ姫《ひめ》

みんな、
また遊《あそ》びに
きてね！

物《もの》語《がたり》の舞《ぶ》台《たい》

フローラ王《おう》国《こく》のようすを、
ごしょうかいするよ。

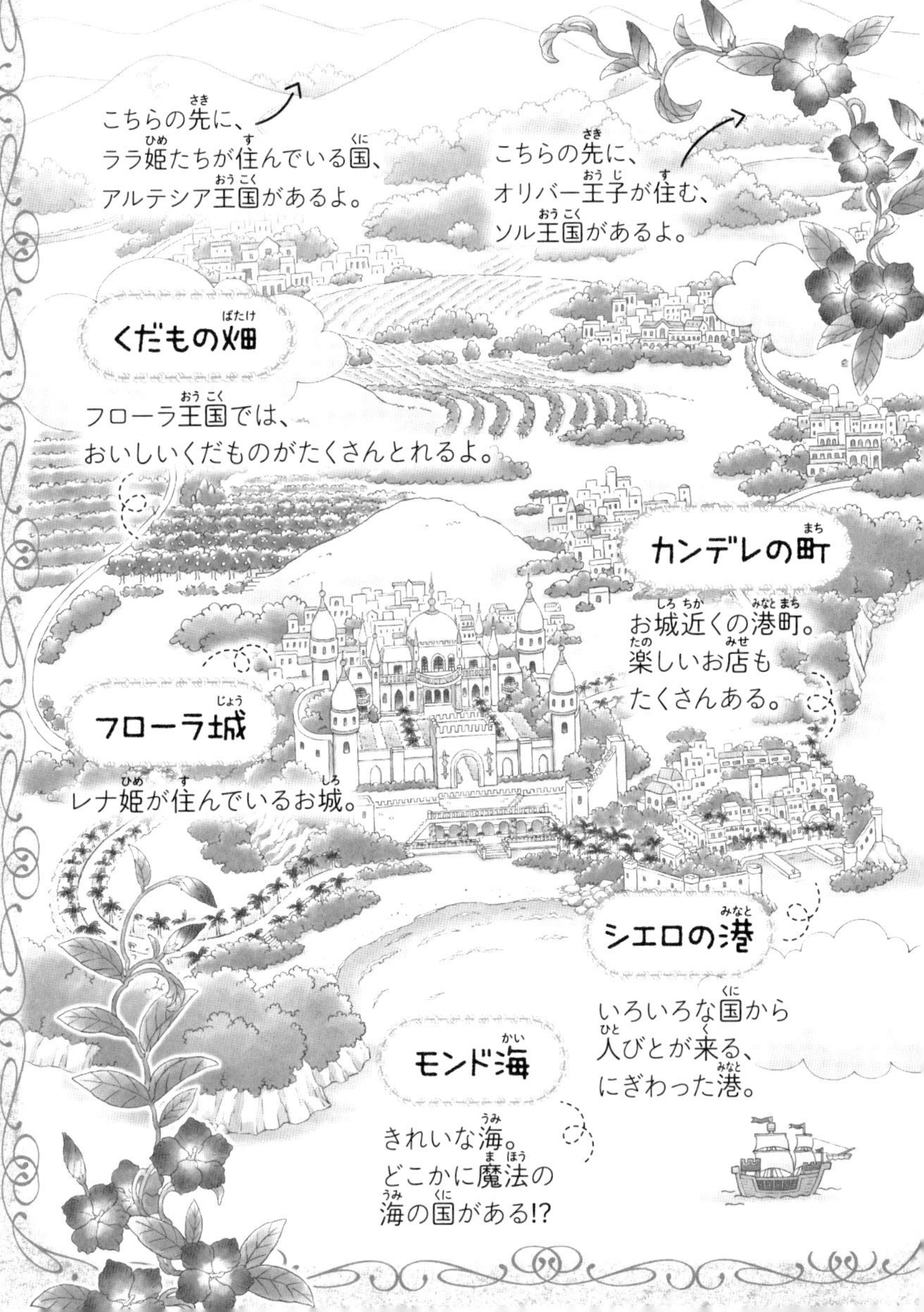

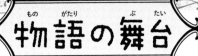

ララ姫《ひめ》とポリーの旅《たび》の持《も》ち物《もの》

今回《こんかい》の旅《たび》に持《も》って行《い》った、ララ姫《ひめ》とポリーの持《も》ち物《もの》をお見《み》せするよ。

ララ姫《ひめ》

このトランクに入《い》れて行《い》ったよ！

小物《こもの》はこちらに入《い》れたよ

レースのショール

「少《すこ》しさむいときに、重《かさ》ね着《ぎ》したの」

舞踏会用《ぶとうかいよう》ドレス

「あとで持《も》ってきてもらえて、助《たす》かったわ」

青《あお》いリボンの帽子《ぼうし》

「ドレスにコーデしやすい帽子《ぼうし》よ」

ラベンダー色《いろ》のドレス

「上品《じょうひん》なししゅうとパフスリーブがかわいいの」

エメラルドグリーンのドレス

「グラデーションカラーがポイントよ」

リボンのパジャマドレス

「やさしい色味《いろみ》で、とってもお気《き》に入《い》り！」

ポリー

このトランクに入《い》れて行《い》ったよ！

小物《こもの》はこちらに入《い》れたよ

バラのショール

「かわいいし、はだざわりもいいの」

青《あお》いドレス

「シルエットがきれいなドレスよ」

ショールとセットのドレス

「お花《はな》のししゅうが、かわいいでしょ」

舞《ぶ》踏《とう》会《かい》用《よう》ドレス

「つややかな生地《きじ》もすてきなの」

黄色《きいろ》いリボンの帽子《ぼうし》

「かぶると、あまいふんい気《き》に仕上《しあ》がるの」

あわい色《いろ》のパジャマ

「ふちのレースが美《うつく》しいのよ」

クロエのプロフィール

Cloe's profile

名前《なまえ》

クロエ

この本《ほん》では、あまり登《とう》場《じょう》しなかったけれど、ほかの巻《かん》で出《で》てくるのをお楽《たの》しみにね！

住《す》んでいるところ

ミウイの町《まち》の、おしゃれ通《どお》り。

かわいいお店《みせ》がたくさん、あるところなの。

しゅみ・とくぎ

おしゃれ。アクセサリー作《づく》り。ヘアアレンジ。

自分《じぶん》でおしゃれするのも、だれかににあうおしゃれを考《かんが》えるのも、すきよ。

きょうだい

一人《ひとり》っ子《こ》よ。

マイブーム

うらない。本《ほん》を読《よ》むこと。

さいきんは、ポリーにおすすめの本《ほん》をきいているの。

すきなもの

✦ 動物《どうぶつ》

小鳥《ことり》、犬《いぬ》

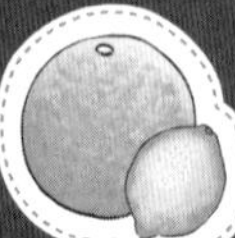

✦ 食《た》べ物《もの》

スイーツ、フルーツ、あまいもの

✦ 勉強《べんきょう》の科目《かもく》

美術《びじゅつ》、歴史《れきし》

✦ 色《いろ》

イエロー、レッド

しょうらいの夢《ゆめ》

アクセサリーデザイナーのお母《かあ》さまや、ドレスデザイナーのデイジーさんのように、ファッションにかかわる仕事《しごと》をしたいの。

ララ姫《ひめ》からのお手紙《てがみ》

読者《どくしゃ》のみなさんへ

こんにちは。今回《こんかい》の、わたしたちが
南《みなみ》の国《くに》へ出《で》かけたときの物語《ものがたり》、どうだったかしら？
わたしは、大《だい》すきな2人《ふたり》、レナ姫《ひめ》とオリバー王子《おうじ》が
なか直《なお》りできて、ほっとしたの。
それに、とってもおどろいたし、
うれしかったのは、パール姫《ひめ》との出会《であ》いよ！
伝説《でんせつ》の海《うみ》の国《くに》の王女《おうじょ》に会《あ》えたなんて。
それに、パール姫《ひめ》にはたくさん助《たす》けてもらったわ。
ポリーといっしょに、海《うみ》の国《くに》で遊《あそ》んだ時間《じかん》は、
ほんとうに、ゆめだったのかしら――!?
5巻《かん》では、またクロエも登場《とうじょう》するし、
リオンや黒《くろ》ねこさんも活《かつ》やくするみたい！
わたしが、ねこになるひみつとは？
ペンダントをわたしてくれた、
白《しろ》ねこさんの正体《しょうたい》は――!?　お楽《たの》しみにね！

ララ

みおちづる
児童文学作家。『ナシスの塔の物語』(ポプラ社)で椋鳩十児童文学賞、児童文芸新人賞を受賞。「少女海賊ユーリ」シリーズ(童心社)、『ドラゴニア王国物語』(KADOKAWA)、『山のうらがわの冒険』(あかね書房)他、作品多数。

水玉子
イラストレーター。書籍挿絵や、初音ミクSoft『ハロ/ハワユ』PVのイラスト、鹿乃アルバム『鹿乃BEST』ジャケットイラスト、キャラクターデザインなど、幅広く活躍。

ララ姫はときどき☆こねこ
4巻 新しいお友だちは、マーメイド!?

2023年12月19日 第1刷発行

作 みおちづる
絵 水玉子
一部物イラスト 小坂菜津子
デザイン 川谷デザイン

発行人 土屋 徹
編集人 芳賀靖彦
企画編集 松山明代
編集協力 勝家順子 上埜真紀子
DTP 株式会社アド・クレール
発行所 株式会社Gakken
〒141-8416 東京都品川区西五反田2-11-8
印刷所 図書印刷株式会社

この本に関する各種お問い合わせ先
●本の内容については下記サイトのお問い合わせフォームよりお願いします。
https://www.corp-gakken.co.jp/contact/
●在庫については Tel 03-6431-1197(販売部)
●不良品(落丁、乱丁)については Tel 0570-000577
学研業務センター 〒354-0045 埼玉県入間郡三芳町上富279-1
●上記以外のお問い合わせは
Tel 0570-056-710(学研グループ総合案内)

NDC913 152P

★この本のララ姫の舞踏会用のドレスは、第1回ドレスコンテストの入賞、あおさんの作品をもとにしています。

スペシャル✦メッセージカード

↓気《き》をつけて切《き》りはなして、使《つか》ってね。

スペシャル✦メッセージカード

↓気《き》をつけて切《き》りはなして、使《つか》ってね。